NEW

서울대 선정 인문고전 60선

37

장자

NEW 서울대 선정 인문 고전 37

장자

개정 1판 1쇄 인쇄 | 2019. 8. 14
개정 1판 1쇄 발행 | 2019. 8. 21

김정빈 글 | 김덕호 그림 | 손영운 기획

발행처 김영사 | 발행인 고세규
등록번호 제 406-2003-036호 | 등록일자 1979. 5. 17.
주소 경기도 파주시 문발로 197 (우10881)
전화 마케팅부 031-955-3100 | 편집부 031-955-3113~20 | 팩스 031-955-3111

값은 표지에 있습니다.
ISBN 978-89-349-9462-6
ISBN 978-89-349-9425-1 (세트)

좋은 독자가 좋은 책을 만듭니다. 김영사는 독자 여러분의 의견에 항상 귀 기울이고 있습니다.
독자의견전화 031-955-3139 | 전자우편 book@gimmyoung.com
홈페이지 www.gimmyoungjr.com | 어린이들의 책놀이터 cafe.naver.com/gimmyoungjr

이 도서의 국립중앙도서관 출판예정도서목록(CIP)은 서지정보유통지원시스템 홈페이지(http://seoji.nl.go.kr)와
국가자료종합목록시스템(http://www.nl.go.kr/kolisnet)에서 이용하실 수 있습니다. (CIP제어번호 : CIP2018042960)

어린이제품 안전특별법에 의한 표시사항

제품명 도서 제조년월일 2019년 8월 21일 제조사명 김영사 주소 10881 경기도 파주시 문발로 197
전화번호 031-955-3100 제조국명 대한민국 ⚠주의 책 모서리에 찍히거나 책장에 베이지 않게 조심하세요.

미래의 글로벌 리더들이 꼭 읽어야 할 인문고전을 만화로 만나다

NEW 서울대 선정 인문고전 60선

37 장자

김정빈 글 · 김덕호 그림

주니어김영사

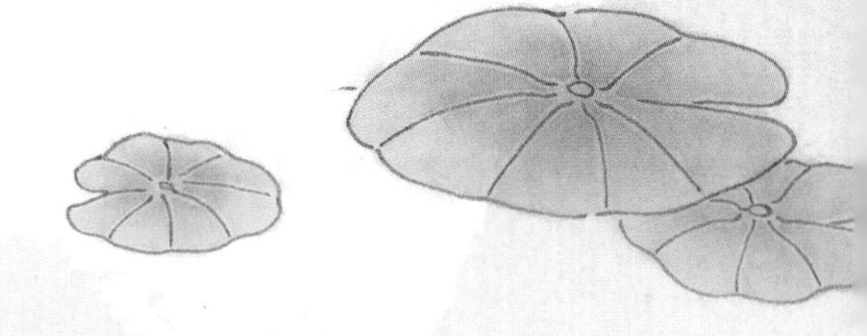

'서울대 선정 인문고전 50선'이 국민 만화책이 되기를 바라며

40여 년 전, 제가 살던 동네 골목 어귀에는 아이들에게 만화책을 빌려 주는 가게가 있었습니다. 땅바닥에 검정색 비닐을 깔고 그 위에 아이들이 좋아하는 만화책을 늘어놓았는데, 1원을 내면 낡은 만화책 한 권을 빌릴 수 있었지요. 저는 그곳에서 처음으로 만화책을 접했고, 만화책을 보면서 한글을 깨쳤습니다. 어쩌면 그때 저는 만화가 가진 힘을 깨쳤다고 할 수 있습니다.

이렇게 만화책으로 시작한 책과의 인연으로 저는 책을 좋아하게 되었고, 중학교 때는 도서반장을 맡게 되었습니다. 약 10만 권의 장서를 자랑하는 학교 도서관을 매일 밤 10시까지 지키면서 참 많은 책을 읽었습니다.

또래의 아이들이 지겹게만 여기던 헤밍웨이의 《노인과 바다》를 두 손에 땀을 쥐며 네 번이나 읽었습니다. 또한 헤르만 헤세의 《데미안》을 읽으며 질풍노도의 시절을 달랬고, 김래성의 《청춘 극장》을 밤새워 읽느라고 중간고사를 망치기도 했습니다.

당시 저의 꿈은 아주 큰 도서관을 운영하는 사람이 되어 하루 종일 책을 보면서 사람들에게 필요한 책을 쓰는 작가가 되는 것이었습니다. 이제 저는 한 가지 더 큰 꿈을 가지려고 합니다. 그것은 우리나라의 아이들이 꿈과 위로를 얻고, 나아가 인생을 성찰하게

해 줄 수 있는 멋진 만화책을 만드는 일입니다.

'서울대 선정 인문고전 50선'은 서울대학교 교수님들이 추천한 청소년들이 꼭 읽어야 할 동서양 고전 중에서 50권을 골라 만화로 만든 것입니다. 이 책들은 그야말로 인류 문화의 금자탑이라고 할 수 있는 것이지만, 사실 제목만 알고 있을 뿐 쉽사리 읽을 엄두가 나지 않는 책들입니다.

그것을 수십 명의 중 · 고등학교 선생님들과 전공 학자들이 밑글을 쓰고, 또 수십 명의 만화가들이 고민에 고민을 거듭하여 쉽고 재미있게, 그러면서도 원서의 내용을 정확하게 전달할 수 있도록 노력하여 만들었습니다.

그래서 '서울대 선정 인문고전 50선'이 어린이와 청소년뿐만 아니라 부모님들이 함께 봐도 좋을 만화책이라고 자부합니다. 국민 배우, 국민 가수가 있듯이 만화로 읽는 '서울대 선정 인문고전 50선'이 '국민 만화책'이 되길 큰마음으로 바랍니다.

손영운

광활한 상상을 펼치며 여유로이 인생을 노니는 책, 《장자》

노자가 창시한 도가(道家)는 공자가 창시한 유가(儒家)와 더불어 중국을 이끌어 온 가장 중요한 사상이에요. 그중 유가 사상은 개인과 사회에 대해 균등하게 관심을 기울이는 편이에요. 그에 비해 도가 사상은 사회에 대한 관심이 적어요. 그 대신 도가 철학자들은 인간 세계를 넘어 자연(自然)까지 생각을 넓혀갔어요. 유가 철학자들에게 있어서 자연은 인간이 개발해서 사용할 대상이었어요. 그들에게는 인간이 만물의 중심이었던 거예요. 그렇지만 도가 사상가들에게 있어서 자연은 인간을 낳고 기르는 어머니 같은 존재였답니다. 이렇게 되면 인간은 만물의 중심이 아니라 그 일부일 뿐인 존재가 되지요.

자연에 관심을 기울인 결과 도가 철학자들은 자연물들이 지극히 자연스럽다는 것을 깨달았어요. 예를 들어 자연물 중의 하나인 물을 보세요. 물은 조금도 부자연스러운 억지를 부리지 않아요. 물은 언제나 위에서 아래로 흐르고, 막히면 넘칠 때까지 기다립니다. 그렇지만 인간은 어떤가요? 인간은 욕심을 일으켜 온갖 억지를 부리는 존재예요. 자연스럽게 흘러가는 물을 막아 댐을 만들기도 하고, 아래로만 흐르려는 물을 위로 솟구치게 하는 분수를 만들기도 하는 등 인간은 자연과 자기 자신을 조작(操作)하곤 합니다. 도가에서는 이같은 인간의 조작 행위를 위(爲)라 부르고, 이에 대비되는 자연의 조작 없는 자연스러움

을 무위(無爲)라 불렀어요. 그런데 다시 생각해 보면 인간 또한 자연의 일부가 아니겠어요? 따라서 인간에게는 '위'와 '무위'가 함께 깃들어 있는데, 그중 '위'에 묻혀 있는 '무위'를 회복해야 한다고 도가 철학자들은 주장했어요.

도가 학파의 가장 중요한 저작은 노자가 쓴 《노자》와 장자가 쓴 《장자》예요. 노자는 약 2,500년 전의 인물로 도가 학파를 처음 열었고, 장자는 그로부터 2백 년 후에 도가 사상을 넓혀 더욱 풍부하게 했어요. 장자는 자신의 책을 〈소요유(逍遙遊)〉라는 글로부터 시작하고 있는데, '소요유'는 '천천히 걸으며 노니는 것'을 의미해요. 이로써도 짐작할 수 있듯이 장자는 인생을 산책과 놀이로 여기는 사람이 었어요.

산책(walking)은 일(work)과 달라요. 일은 힘든 과정을 통해 좋은 결과를 얻는 것이지만 산책은 과정 자체가 좋은 것이기 때문이에요. 일로써 걷는 사람은 직선으로 된 지름길을 따라 재빨리 걷지만, 산책으로써 걷는 사람은 구불구불한 길을 느릿느릿 천천히 걸어요. 그에게는 도착하고자 하는 목적지가 없어요. 굳이 목적지를 찾고자 한다면 한 걸음 한 걸음 내딛는 곳 모두가 목적지라고 할 수 있겠지요.

《장자》의 또 다른 특징 중 하나는 우리가 사는 이 지구를 한 개의 콩알처럼 바라보는 높고 먼 시야를 갖고 있다는 점이에요. 시간의 면에서 보더라도 장자는 매우 긴 관점에서 인간의 짧은 인생을 바라봐요. 그러다 보니 장자의 사상은 거대하고 광활하며 한가하고 여유로운 느낌을 준답니다. 더 반가운 것은 장자가 자신의 사상을 이야기 형식으로 말하기를 즐긴다는 점이에요. 바꿔 말하여 그는 철학가인 한편으로는 문학 예술가였어요.

자, 그러면 이제 상상력의 천재이자 여유로움의 대가인 장자가 전하는 다채롭고 풍부한 이야기의 세계 안으로 들어가 보기로 해요.

| 그림 작가 머리말 |

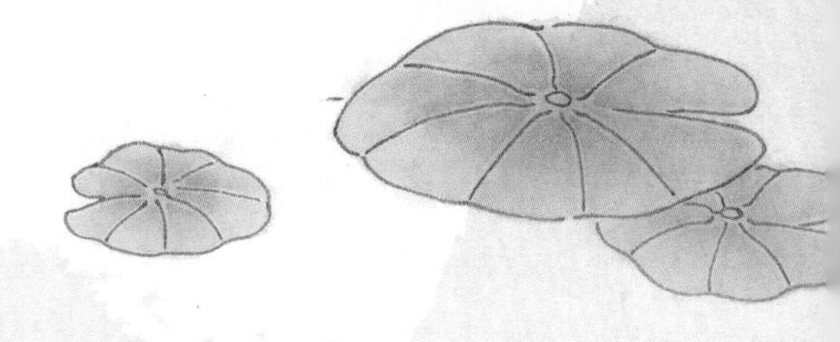

우리가 추구해야 할 본래의 모습을 찾게 하는 책!

우리는 '일방통행'의 시대를 살고 있습니다. 과학이 발달하고 물질의 풍요는 차고 넘치지만 남보다 더 빨리 더 높이 오르고, 더 많이 갖기 위한 무한경쟁은 우리의 삶을 한쪽 방향으로만 내몰고 있는 거지요.

지금부터 약 2,300년 전에 살았던 장자는 인간의 삶을 지배하는 그 일방통행로에 커다란 의문을 던지고 있습니다. 길고 짧은 것, 큰 것과 작은 것, 빠르고 느린 것, 쓸모 있는 것과 쓸모없는 것. 세상의 모든 것들은 상대적인 가치를 지닐 뿐 어느 한쪽이 더 좋고 나쁘다고 단정 지을 수 없음을 장자는 '우화'를 통해 차근차근 이야기 합니다. 그것은 결국 나와 다른 입장이나 가치관을 가진 상대방에 대한 이해와 존중을 자연스레 키우고 세상을 보는 더 넓은 시각을 갖게 해 줍니다.

또한 장자의 말에 귀 기울이는 동안 조용히 자기 자신을 돌아보며 그동안 잊고 지냈던 많은 소중한 가치들을 다시 꺼내어 매만지게 함으로써 우리를 또 다른 차원으로 안내합니다.

장자 자신도 '내 글의 대부분은 우언(寓言)이다' 라고 말했듯이 이 책에는 수없이 많은 비유와 상징이 담겨 있습니다. 공자와 노자가 등장하는가 하면 원숭이와 닭과 해골이 주

인공이 되고, 장자 자신이 나비로 변하여 이야기를 풀어 나가기도 합니다. 등장인물이 너무 많다 보니 만화를 그리는 데 꽤 애를 먹기도 했지요.

그 이야기의 흐름을 따라 때로는 거센 물굽이를 돌고 큰 강물도 만나 흘러가다 보면 어느새 우리는 장자라는 깊고 너른 바다에 닿아 있음을 알게 될 것입니다.

장자의 이야기는 '지식' 을 전하고자 하는 우화들이 아닙니다. 인위적인 잣대로 그어 놓은 많은 가치의 경계를 허물고 그 속에서 우리가 진정 추구해야 할 자연적인 본래의 모습을 찾고자 하는 부르짖음입니다.

그러므로 이따금 책을 덮고서도 장자가 가졌던 생각의 자취를 더듬고 곱씹어 볼 수 있는 여유로움을 갖길 바랍니다.

김덕호

| 차 례 |

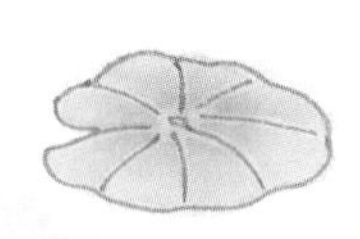
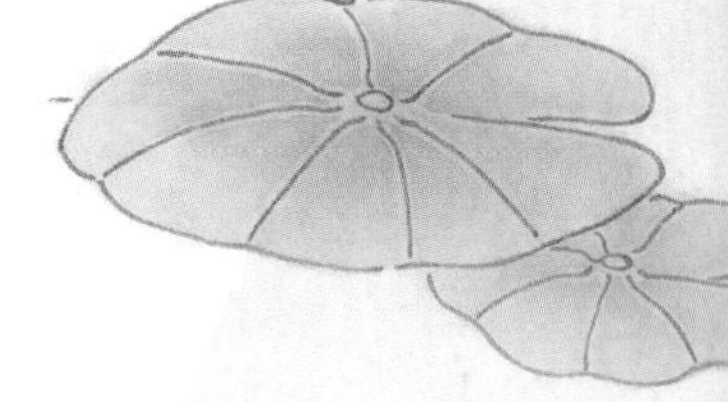

제5장 《장자》 해설 2 _ 외편(外篇) 114

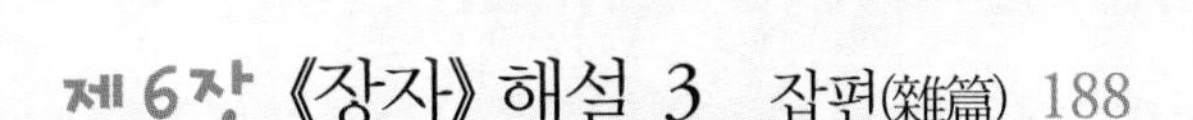

제6장 《장자》 해설 3 _ 잡편(雜篇) 188

제1장 《장자》는 어떤 책일까?

따라서 우리는 《장자》를
한편으로는 떨어져서 읽고
…….

다른 한편으로는 그 속에
풍덩 뛰어들어
풍덩

유유히 헤엄쳐야 해.

장자는 말했어.
나의 글은 우언(寓言)이 구(九)이다.

여기서 '우언'이란 오늘날의
'우화'를 의미하는데
개미와 베짱이

우화는 이솝우화에서 보듯이
개미:
근면 성실을 상징
베짱이:
게으름과 향락을
상징

자기가 전하고자 하는 말을
주제
근면하게 준비하는
삶을 살자!

이야기 형식에 담는 기법을 가리키지.
그리하여 게으르게 놀기만 하던 베짱이는 추운 겨울이 오자….
호!

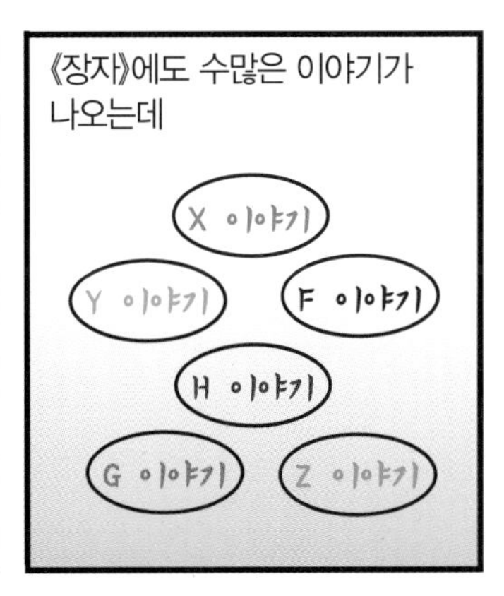
《장자》에도 수많은 이야기가
나오는데
X 이야기
Y 이야기
F 이야기
H 이야기
G 이야기
Z 이야기

책의 맨 첫머리인 〈소요유〉에서
장자가 들려주는 이야기가
아주 특별해.
책 전체를 요약한 것!
옛날 옛적에…

먼저 붕새 이야기부터.
북쪽 바다에 곤(鯤)이라는 물고기가 있었는데, 그 크기가 수천 리나 되었다.
그놈이 변하여 새가 되었는데….

그 이름을 붕(鵬)이라고 한다.

붕새의 크기 또한 몇 천 리나 되는지 알 수 없다.
그놈이 한번 기운을 떨쳐 날면 그 날개는 마치 하늘에
큰 구름이 덮이는 것처럼 보인다
그리하여 놈은 마침내 크게 움직여 남쪽 바다,
즉 천지(天池)를 향해 훨훨 날아간다.

《제해(齊諧)》라는 책에서
말하기를…

붕새가 남쪽 바다로 갈 때 삼천 리를 난 다음
회오리바람을 타고 구만 리를 올라가서…
이건 뭐
비행기도
아니고…

여섯 달 만에야 쉰다고 하였다.

장자의 이야기는 계속돼.
하늘이
푸른 것은
단지 드높기
때문이니…

붕새가 지상을 내려다볼 때에도
까마득히 푸르게 보일 뿐!
아아, 붕새의 큼이여!
그 드높은 비상(飛翔)이여!
이 이야기에서
'붕정만리(鵬程萬里):
큰 뜻을 품고 먼 길을 감'
라는 고사성어가 나왔어.
《삼국지》에서
제갈공명은 《장자》의
이 비유를 끌어 와
오나라 사람들에게
"군조(群鳥)가 어찌
대붕(大鵬)의 뜻을 알리오?"
라고 말했지.

그러나 뱁새는 오히려 붕새를 비웃는다.

"우리는 나무덤불 사이로 날다가도 부딪쳐 고꾸라지는데
저놈은 무슨 수로 구만 리를 올라가 남쪽 바다로 갈까?"

그러나 어찌 소조(小鳥)가 대붕(大鵬)의 뜻을 알리오?

대체로 작은 지혜는 큰 지혜에 미치지 못하고, 짧은 시간은 긴 세월에 미치지 못하나니,
새벽에 났다가 해가 뜨면 죽는 버섯은 그믐과 초하루를 알지 못하고,
여름 한철 짧게 사는 쓰르라미는 봄과 가을을 알지 못하는 법,
이것은 그들의 시간이 짧기 때문이다.

초나라 남쪽에 명령(冥靈)이라는 거북이 있었는데
그놈은 500년을 봄으로 삼고
500년을 가을로 삼았으며,
옛날 옛적 대춘(大椿)이라는 나무는
8천 년을 봄으로 삼고
8천 년을 가을로 삼았다고 한다.
그러니 오늘날 팽조(彭祖)가 800살을 산 것으로
널리 알려져 부러움을 사니 슬프지 아니한가!

뱁새와 대붕.

열 살에 죽은 이와 일흔 살을 산 사람.
800살을 산 팽조, 수천 년을 산 명령,
그리고 수만 살을 산 대춘.

이로써 보건대 천하 사람이 모두
찬양하는 요(堯) 임금의 덕이라는
것도 겨우 팽조의 수준일 뿐이며

그보다 높은 차원의 송영자(宋榮子)도
명령의 차원에 불과하다고 장자는 말해.
온 세상 사람이 칭찬해도
거기에 더하려 하지 않고…
온 세상이
그르다 해도
그만두지 않는다.

하지만 그런 차원에 이른 사람도
흔하지는 않아.
그런데 여기 그보다 높은 차원의
열자(列子)가 있어.
나, 열자.
장자의 선배.

열자는 바람을 타고 다니다가 보름이 되면 집에 돌아오는 사람이었어.
촌스럽게!
빗자루를 타니?

그러나 그가 비록 걸어다니는
고생은 면했다고 해도

여전히 의지하는 것(바람)이 있는
차원에 불과하므로
風

장자는 의지함이 없는 차원,
훨훨 세상을 벗어난 경지를
예찬하는 거야.

천지의 바른 기운을 타고 육기(六氣)의 변화를 몰아 무궁(無窮)에
노니는 사람이라면 굳이 무엇을 의지하겠는가. 그러므로 지인은
자기가 없고(至人無己), 신인은 공적이 없으며(神人無功),
성인은 이름이 없다(聖人無名)고 하는 것이다.

내 말이 너무 크다고?
상식에서 벗어났다고?

들어 봐.
막고야산(邈姑射山)에 신인이 사는데….

살결은 얼음과 눈같이 희고,
피부는 처녀처럼 부드럽지.
곡식을 먹지 않고 바람과 이슬을 먹으며,
구름을 타고 나는 용을 몰아
사해(四海) 밖으로 노닌다더군.

아, 그러나 정신에도 장님과 귀머거리가 있는 법!

이런 이야기를 듣고 놀라고 의심하고 두려워하는 이들이 바로 정신의 장님이요, 귀머거리가 아니겠는가!

송나라 사람이 머리쓰개(관)를 팔러 월나라에 갔더니

그 나라 사람들은 머리를 깎고 사는지라 헛고생만 하고 말았어.
Sale
모자

한편 요 임금이 천하에 덕을 쌓은 뒤 막고야산의 네 신선을 만났을 때는

천하의 일을 잊고 멍해졌다고 하니, 이 두 사례의 차원이 다른 까닭이야.

이에 장자의 친구 혜자(惠子)가 비판했어.
나도 비유로 말함세.

위나라 임금이 내게 큰 박씨를 하나 주었네.

그래서 그걸 심었더니 닷 섬들이 박이 열리질 않겠나?

그런데 통 쓸모가 있어야지. 이도저도 쓸 데가 없어서…
크기만 할 뿐 단단하지도 않고…

쾅! 깨 버렸지.

장자가 응수했어.
큰 것을 크게 쓸 줄 모르는 사람 같으니라고!

송나라에 손이 안 트는 약을 가진 사람이 있었네. 그걸로 빨래를 해서 연명하고 있었는데…

어느 날 한 사람이 와서 백금을 주고 그 비법을 사갔다네.

그러고는 겨울에 월나라와
수전(水戰) 중인 오나라 왕을 찾아가
동상 예방에
탁월한 약이옵니다.

그 비법을 팔아 제후가 되었지.
오!
이번 전쟁에
요긴하게 쓰겠군!

이렇듯 같은 물건도
쓰기 나름인 것.

자네는 왜 그 큰 박으로 배를 만들어 강호에 띄우지 않았는가!
왜 그것이 너무 크다고 불평만 했더란 말인가!

혜자가 다시 말하기를.
우리 집에
쓸모없이
울퉁불퉁한
큰 나무가 있네.

목재로 쓰기엔 적당치
않아서 목수들이
눈여겨 보질 않아.

자네, 재바른 살쾡이가
그물에 걸리는 것을
보았겠지?

하지만 저 신령한 이우(犛牛)는
쥐 한 마리 못 잡아도
그 대신 하늘을 날아다닌다네.

*무하유향(無何有鄕): 장자가 이상향으로 상정하는 곳으로, 생사가 없고 시비가 없으며 지식도, 마음도, 하는 것도 없는 참으로 행복한 곳.

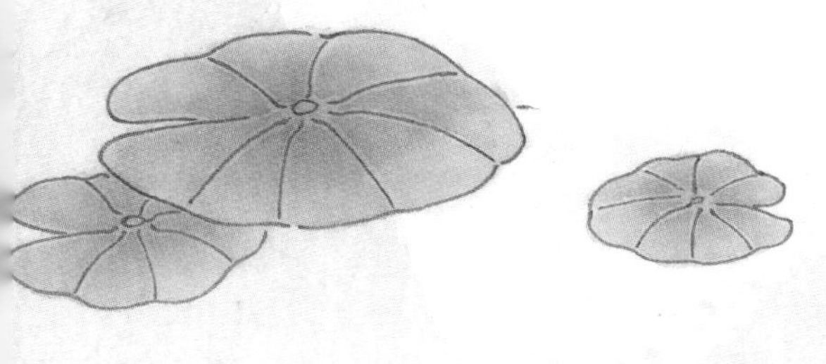

도가 사상을 창시한 노자

▲ 노자

중국 사상은 여러 갈래로 나뉘지만 그중 가장 중요한 사상은 유가(儒家)와 도가(道家)예요. 유가 사상은 공자(孔子)가 창시해 맹자(孟子)에 의해 선양되었고, 도가 사상은 노자(老子)가 창시해 장자에 의해 선양되었어요. 이 때문에 유가 사상은 공맹(孔孟) 사상, 도가 사상은 노장(老莊) 사상이라고도 불리고 있어요. 따라서 장자를 제대로 알기 위해서는 먼저 노자에 대해 알아야 해요.

노자는 공자(BC. 551~479)와 같은 시대의 인물로서 사마천(司馬遷)의 《사기(史記)》에 의하면 그의 성은 이(李), 이름은 이(耳), 자는 백양(伯陽), 시호는 담(聃)에 그는 본래 초(楚)나라 출신이었지만 주(周)나라에 들어가 사관(史官)을 지냈는데, 그때 공자가 찾아와 도(道)를 물은 적이 있었다고 해요.

훗날 세상이 어지러워지자 노자는 관직을 사직하고 주나라를 떠났어요. 그런데 그가 함곡관(函谷關)을 통과할 때 그곳을 지키던 관령(關領) 윤희(尹喜)의 간곡한 청으로 자신의 사상을 정리해 남기게 되었는데, 그것이 지금 우리가 읽고 있는 책 《노자》예요.

《노자》의 중심 사상은 무위(無爲)인데, 이는 유가 사상을 '위(爲)', 또는 '인위(人爲)'로 본 다음 그것을 부정, 비판한 것이라고 볼 수 있어요. 이때 위와 인위는 작위(作爲), 즉 억지로 무언가를 하려는 것을, 무위는 억지를 버리고 자연스럽게 행위하는 것을 의미해요. 이 때문에 노자의 사상은 무위자연(無爲自然) 사상이라고도 불리고 있어요.

제2장

장자는 어떤 사람일까?

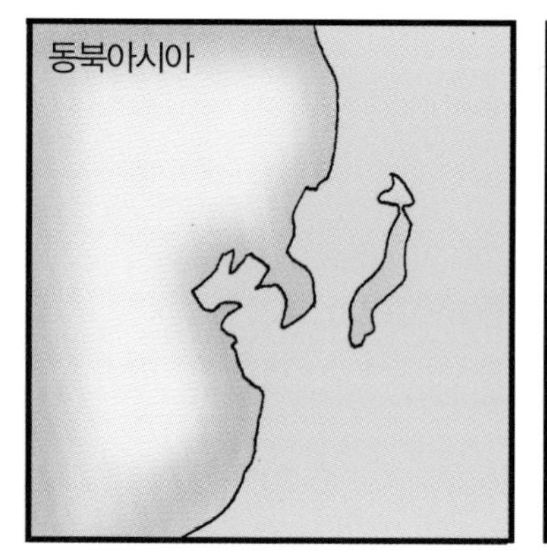
동북아시아

또는 한자 문화권.
忠 美 眞 漢 道 民 順 君 小 大 歸

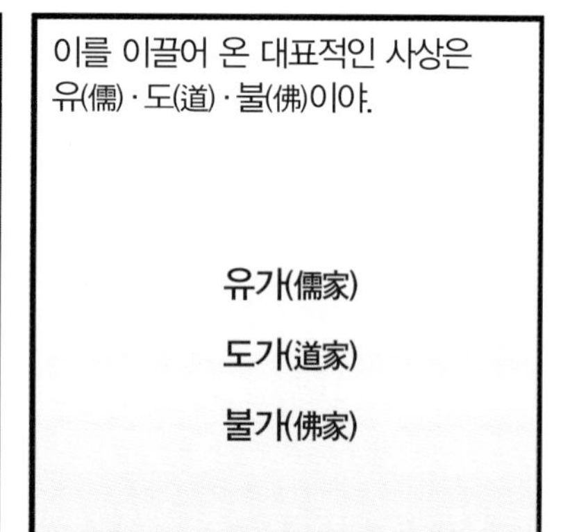
이를 이끌어 온 대표적인 사상은 유(儒) · 도(道) · 불(佛)이야.
유가(儒家)
도가(道家)
불가(佛家)

이중 불가는 한대(漢代) 후기에 인도에서 유입된 '외래 사상'이므로
달마는 왜 서쪽에서 왔는고?

유가와 도가가 중국의 '토착 사상'을 대표하는데
儒 道
中國

유가는 공자, 도가는 노자가 창시했어.
儒
道

춘추 말기에 활동한 두 사람은 거의 동시대에 살았는데
아, 어지러운 천하여!

세상이 더욱 시끄러워진 전국 시대에 이르러

두 사상에는 각각 위대한 조술자(祖述者)가 출현했지.
맹자
장자

*후생가외(後生可畏):《논어》에 나오는 말로, 뒤에 난 후배는 무한한 가능성을 가지고 있어 두려워할 만하다는 뜻.

그리하여 전에는 자신의
속국이었던 주나라의 속국이 되어
인생 역전….
로또?

한편으로는 옛 전성기를 그리워하고,
다른 한편으로는 그나마 문화적인 경향이
남아 있으니, 이것이 송나라의 기풍이었어.
아~ 옛날이여!
한마디로 말해서
과거 지향적이면서 허약한,
실속 없는 허풍선이
나라였던 거야.

그래도 후에 송양공(宋襄公)은
춘추오패의 하나로 꼽힐
정도의 실력자가 되었는데

그는 적과 싸울 때조차
예의범절을 지키고자 했어.
주군, 적이 강을
건너오니 지금 칩시다!

군자가 어찌
남의 약점을 치리오?

그 결과 송양공은 크게 패해
웃음거리가 되었어.
여기에서
'송양의 인(宋襄之仁)'이라는
고사성어가 나왔지.

이런 기풍 때문에 고사에서
'송나라 사람'은
송인(宋人)?
맹구!
킥킥

어처구니없는 바보를 상징하게
되었지.
어떤 송나라 사람이
밭의 곡식을
빨리 자라게 하려고…

곡식을 뽑아 올렸다는 데서
'조장(助長)'이라는 고사성어가
생긴 것이
그 한 예죠.
까짓것 대충
잡아 늘이면…

그런 송나라에서, 그것도 후미진
작은 고을에서 태어나

아마도 어리석은 지방 수령
밑에서 미관말직으로 있었던 장자.
민원
등본 두 통하고
초본 한 통…

그는 송나라 사람답게 실속을
챙기는 데는 약빠르지 못한 반면
나보고 재상을 말아 달라고?

공상(이상)적인 면이 강했고
흥!
난 왕의 강아지가 되긴 싫어!

어떤 면에서는 바보스러운 데도
있는 사람이었어.
바보라고 하지 말고 대우(大愚)라고 해주오.

그러나 '조장'의 주인공이 저차원의 바보라면
장자는 고차원의 바보라고 할 수 있으니
바보
愚(어리석을 우)
보통 사람
凡(무릇 범)
똑똑이
賢(어질 현)
큰 바보
大愚(대우)

노자는 이렇게 말했어.
크게 현명한 자는 어리석은 듯 보인다.

또 말하기를
위대한 사람은 보통 사람들의 비웃음을 사는 법이다.

이렇듯 심오하고 위대한 모든 생각과 사상은
상식을 뒤집는 역설적인 요소를 갖게 마련이지.
가난한 자가 복이 있나니.
시간이 고무줄처럼 늘어나고, 공간이 그물처럼 휜다.
대현약우 (大賢若愚).
E=mc²

그리고 여기 생각의 한계,
상식의 그물을 찢고

보통 사람들이 갇혀 있는 새장을
훌훌 벗어난 자유의 사상가
장자는

오히려 어리석은 송인(宋人)
가운데서 우뚝 솟아올랐던 거야.
莊子
微
粗
愚
痴
微
低
小
劣

구체적으로 알려지지는 않았지만 장자의 생애가 정신적 자유와
초탈을 향해 치열하고 광대하게 전개되었으리라는 것은 분명하다.
고관대작 자리를 썩은 쥐로 여긴 은일현자(隱逸賢者) 장자는…….

언제 나서 언제 죽었는지
정확히 알 수 없으나
그게 무에 그리 중요한고?

양혜왕(梁惠王)·제선왕(齊宣王)
시대 사람으로서
전국 시대란 얘기지.

맹자와 동시대를 살았던 것으로
보여.
어쨌든 맹자는 BC 372~BC 289년,
장자는 BC 369~BC 289년 사람으로 추정해.

그는 한때 하급 관리로 일한 적이
있다고 하는데
헉!
장자가 공무원을?
그것은 마치 고래를 어항에 가둔 듯.

분방하고 기개 넘치는 성품을
지닌 그가
기린을 승용차에 실은 듯.

그런 자리에 오래 머물지는
않았을 거야.
대붕(大鵬)을 새장에 가둔 듯.

하지만 그때의 경험을 통해
세속에 들어가 보고서야 세속의 세속다움을 알고….

세속을 유지하는 제도가
얼마나 모순에 차 있는지
족쇄에서 풀린 다음에야 자유의 자유로움을 아노니….

그 제도에 순응하는 삶이 얼마나
답답한지를 새삼 확인했을 거야.
아, 나는 나의 길을 가련다!

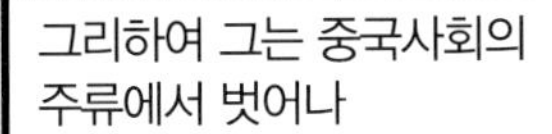

중국사회의 주류와 비주류

주류(主流)	비주류(非主流)
천명사상 (天命思想)	무위사상 (無爲思想)
↓	↓
왕·제후·귀족 중심 (위로부터의 지배)	서민 중심 (아래로부터의 요구)
↓	↓
실제적·외적인 힘, 출세 (出世 : 세상으로 나감)	심리적·내적인 힘, 은둔 (隱遁 : 세상을 버리고 숨음)
↓	↓
공자	노자
↓	↓
맹자	장자
공맹 사상 (유가)	노장 사상 (도가)

《노자》와 《장자》를 간단하게 비교하면 다음과 같아.

《노자》	《장자》
간략한 문구(5천여 자)	광대·풍부한 문장(본래는 10만여 자였다고 함.)
잠언 형식	이야기 형식
정치 지도서적인 성격이 있음	개인의 삶에 관심이 깊음
도(道)의 근원을 물음	**도(道)의 생성·변화를 강조**

《장자》에는 장자가 식량을
꾸러 가는 이야기가 나오기도 하고
쌀 한 되만!

선배 사상가인 열자의 곤궁했던
이야기도 보이는데
으~, 추워!

지식인으로서 벼슬길이 아니면
농사꾼으로 사는 수밖에
없었던 시절
벼슬길
농사
고기잡이
사냥

가난과 곤궁 속에서도 장자는
기가 죽기는커녕
혜자는 왕의 노예,
호의호식하는
강아지로다.
깽!

그의 사상을 더욱더 크고 넓게
펼쳐 나갔어.
지인(至人)!
도인(道人)!
진인(眞人)!
선인(仙人)!

그러던 어느 날, 장자가 양(梁)으로
혜자를 만나러 간 적이 있었는데

마침 혜자가 자리에 없어
되돌아왔어.
시장님께선
지방 출장을….
쩝!

그런데 나중에 돌아온 혜자는
내심 장자를 의심했어.
그 친구 내 자리를
노리고 온 게 아닐까?
친구분께서…

혜자는 곧 수배령을 내려
장자를 찾기 시작했는데

그 소식을 들은 장자가
다시 혜자를 찾아갔어.
어이, 친구!
날 찾았는가?

그러고는 들려주는 우화 한 마당.
들어 봐.
원추(鵷鶵)라는
큰 새가 있거든.

그놈이 큰 뜻을 품고 남쪽 나라로
날아가는데…

얼마나 고상하고 고귀한 정신을 가진 새인지
오동나무가 아니면 앉아 쉬지 않고,
대나무 열매가 아니면 먹지 않으며,
단물샘이 아니면 마시질 않는다네.

어느 날 원추가 높이 날아가고
있는데 마침 그 아래에서
올빼미 한 마리가

썩은 쥐
한 마리를 구해서
막 먹으려던 참이었어.

올빼미는 날아가는 원추를 보고
"헉!" 하며 깜짝 놀랐다네.
헉!
저놈이 혹시
내 쥐를?

그렇지만 썩은 쥐라니!
썩은 쥐라니! 원추가 그걸
쳐다라도 보겠는가.

여보시게, 친구!

자네가 지금 위나라 서울시장이라는
썩은 쥐를 입에 물고…

지금 나를 향해
헉! 하고 소리를 지르는 겐가?

바꿔 말해서 장자는 정신적 풍요와 자유로써

물질적 빈곤과 불편을 초월하고자 했고

그것이 하늘에서 받은 명(命)을 온전히 보전하는 길이며
安命
(안명)

가장 위대한 사람들이 가는 삶의 방향이라고 생각했어.
至人
眞人
道人

그런 장자에게 권력은 화려한 겉모습과는 달리
와

실제로는 얽매임에 시달리는 데 불과한,
또 일 터졌어?
아유,
골치 아파!

왕에게 자유와 목숨을 파는 일에 지나지 않았어.
그게 무슨 이익?
큰 손해지!

어느 날 초나라 왕이 사신을 보내
가서 장 선생을
모셔 오라!

장자에게 재상이 되어 달라고 청했어.
저희 임금께서
선생님을 모셔 오라고
하셔설랑….

그때 장자는 물가에서 낚싯줄을 드리우고 있었는데

낚시질을 멈추지도 않은 채 또 이야기 하나.
내 하나
물어 봅시다.

듣기로는 초나라에
점치는 데 쓰는 삼천 년 된
죽은 거북 껍질이 있다던데
사실이우?
하오!

그 거북 껍질로 점을 치면
백발백중이라면서요?
yes!

그래서 좋은 비단에
싸서 화려하게 장식된
함에 잘 모셔 두고
있다고요?
조상님 신줏단지보다도
더 잘 모시고 있습죠.

오, 거북 껍질의 부귀영화여!

임금의 조상보다도
더 존귀해진 그 신분이여!

그럼 다시
물어봅시다.
그 거북의
입장에서
볼 때…

그놈은 죽어서
그런 호강하기를 바랐겠소,
아니면 살아서…

비록 더럽더라도
진흙탕에서 꼬리를 끌며
자유롭게 살기를
바랐겠소?

그야 살아 있기를
바랐겠죠.

그렇군!
그렇군!
끄덕
끄덕

그러니 돌아가서
당신네 왕에게
말하시오.

나 또한 살아서
진흙 속에서 꼬리를 끌며
자유롭게 노닐겠노라고!

이렇듯 남에게 부림당하는 부자유를
거부하고
NO!
멍에
그물
족쇄

홀로 자유를 누리며 세상을
가로질러 간 장자.
자유
상상
초월

세월이 흐르면서 깨달음이 깊어지자 그에게도 제자들이 생겨났지만

그들을 둘러싼 시대는 더욱더
살벌해지고 있었어.

그럴수록 세상에 대한 장자의
냉소·거부·초월의 경향은
심해졌으니…
버려라!
떠나라!
벗어나라!

친구의 죽음 앞에서 노래 부르는
사람 이야기를 자신의 책에
적는가 하면
죽음이
오니 어찌
노래하지
않으랴?

아내가 죽자 그 또한 노래를 불렀어.
괴로움의 이생에서
즐거움의 저승으로
갔도다!

*이하 장자의 죽음 부분은 《장자》의 내용에 작가의 상상을 더해 창작성을 가미해 본 것임.
상상력이 풍부한 초탈자였던 장자는 필자의 이같은 일탈을 너그러이 용서하리라 믿는다.

너희는 어찌 이리도 나를 이해하지 못하느냐?
제자들아, 나는 그동안 몸은 비록 이 작은 마을에 머물렀으나
마음은 저 드높은 천궁(天穹)을 노닐었고,
몸은 비록 짧은 세월을 누렸으나
정신은 태초와 영원을 거닐었노라.

그리하여 다시 근본으로
되돌아가는 이때

나는 저 하늘과 땅으로써 관을 삼고

해와 달로 한 쌍의 구슬을 삼으며

별들로써 장식의 옷을 삼고

만물로써 장례용 제물을 삼으려
하노라.

제자들아, 이런 내게 무엇을 더
보태려느냐?

고매하신 뜻은
잘 알겠습니다만…
혹 까마귀나 솔개 따위가
스승님의 시신을
훼손할까 두렵습니다.

제자들아, 어차피 죽은 몸뚱어리는 남에게 먹히는 바가 된다.
땅속에 묻으면 벌레와 개미의 밥이 되고,
땅 위에 던져 놓으면 까마귀와 솔개의 밥이 되는 것이다.
그러므로 너희가 나를 땅 위에 던지지 않고 땅속에 묻는다면,
너희는 까마귀 등속의 재산을 빼앗아 땅벌레 등속에게 주는 것이다.
너희의 한쪽 무리만 사랑함이 어찌 이리도 심하냐?

*73쪽에 이에 해당되는 이야기가 나옴.

그림으로 읽는 도가사상

장자가 속하는 도가의 무위자연(無爲自然) 사상을 알기 쉽게 설명해 볼게요.

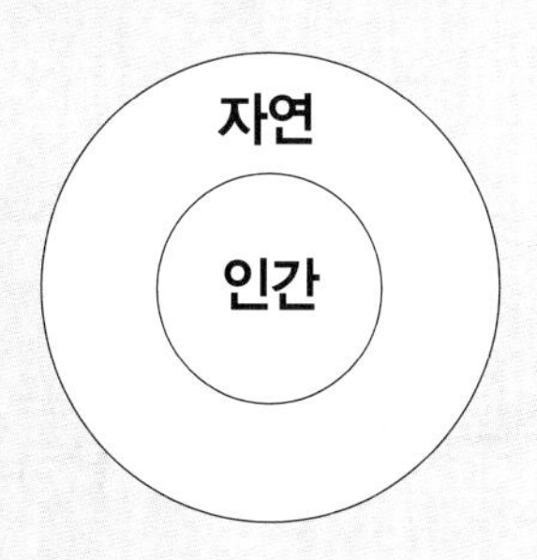

큰 동그라미를 그리고 그 안에 작은 동그라미를 그립니다. 그중 큰 동그라미는 자연, 즉 우리가 살고 있는 자연(우주)을 의미하고, 작은 동그라미는 인간을 의미해요.

그렇다면 인간은 자연의 일부일까요, 아닐까요? 그림에서 알 수 있듯이 인간은 자연의 일부예요. 그렇긴 해도 문제가 하나 있어요. 인간에게는 자연과 구별되는 면이 있다는 점이지요. 그 점을 나타내기 위해 인간을 의미하는 작은 동그라미 안을 파란색으로 칠해 봅니다.

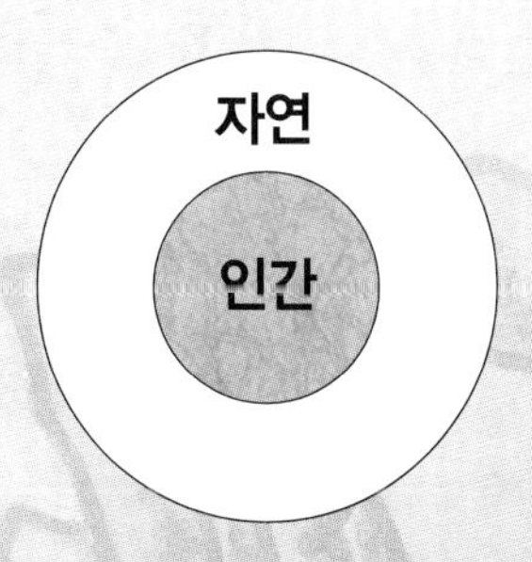

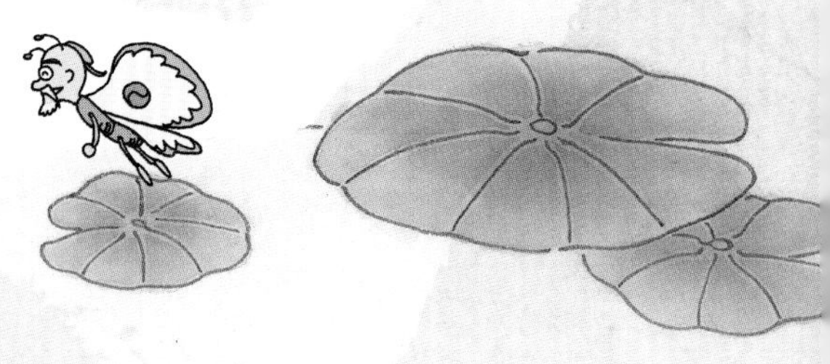

그렇지만, 이미 말한 것처럼 인간의 자연의 일부잖아요? 그러니까 이제 자연을 의미하는 색깔을 노란색으로 정한 다음, 자연 부분과 인간 부분 모두를 노란색으로 채워 보기로 해요. 그럼 이런 그림이 나오게 되겠죠?

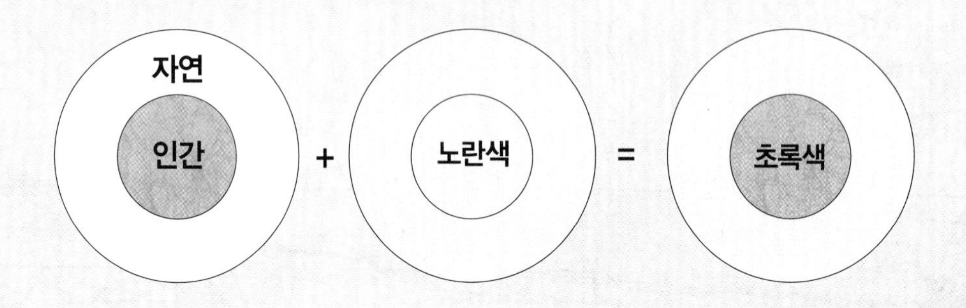

이렇게 인간의 색깔은 처음 파란색에서 초록색으로 변했어요. 초록색은 파란색과 노란색이 합쳐질 때 나타나는 색깔이라는 건 알고 있겠죠? 이것으로 우리가 알 수 있는 것은 인간에게는 자연에게는 없고 인간에게만 있는 파란색 면과, 자연과 함께 가지고 있는 노란색 면이 있다는 점이에요.

인간이 가진 그 두 가지 면 중에서 먼저 자연적인 면에 대해 생각해 보면, 자연이라는 말은 '스스로(自) 그러한(然) 것' 을 의미해요. 이때 스스로 그러하다는 것은 자신의 본성 그대로 변화한다는 의미예요. 즉, 자연물들은 억지로 무슨 일을 벌이지 않아요.

자연물인 해와 달을 보세요. 해와 달은 자신의 본성 그대로 떴다가 지면서 빛을 발하거나 반사해요. 또한 자연물인 물과 불 또한 자신의 본성 그대로 아래로 흐르고 위로 타오르지요. 이것은 풀과 나무도 마찬가지예요. 물론 동물(인간 이외의 동물)에게는 약간의 자연스럽지 않은 면이 있긴 해요. 그렇긴 해도 인간에 비한다면 동물들 또한 자기의 본성 그대로 자연스럽게 살아간다고 할 수 있어요.

그렇지만 인간은 어떤가요? 인간은 자연스럽지 않은 억지스러운 일을 자주 벌여요. 인간은 자연스러이 흘러가는 물을 막아 댐을 만들기도 하고, 전쟁을 일으켜 다른 인간을 죽이는 부자연스러운 일을 벌이곤 해요. 그렇긴 해도 인간에게는 자연의 일부로서의 자연적인 면도 있어요.

도가의 창시자인 노자는 인간이 가진 이 두 가지 면 중에서 인간만이 가진 파란색 면을 위(爲)라고 부르고, 자연과 함께 갖고 있는 노란색 면을 무위(無爲)라고 불렀어요. 노자는 이 두 면 중에서 '무위'를 칭찬하고, '위'를 비판했어요.

이것은 노자가 인간을 파란색 면으로부터 노란색 면 쪽으로 되돌리고 싶어했다는 것을 의미해요. 바꿔 말해서 노자는 인간이 아기처럼 천진한 상태로 돌아가기를 바랐어요. 아기들을 보세요. 아기들의 행동에는 부자연스러운 데가 조금도 없어요. 아기들은 마치 흘러가는 물처럼, 바람에 나부끼는 나뭇잎처럼 자연스럽게 웃고 울고 잠자고 깨어나지요.

어디 아기뿐인가요. 여러분은 혹 할아버지나 할머니에게서 아기 같은 자연스러운 태도를 본 적이 없나요? 그래요. 아주 인품이 훌륭한 분들은 아기와도 같은 자연스러운 미소가 우러나고, 행동 또한 물이 흐르는 듯이 자연스러워요.

이로써 우리는 도가 사상의 창시자인 노자가 인간이 자연물을 닮을 것을 바랐다는 것, 하늘에 떠가는 구름이나 나뭇잎을 스치는 바람처럼 살며 서로 다투지 않기를 바랐다는 것을 알 수 있어요.

제3장 도道와 무용無用과 소요逍遙

서기 221년, 진시황은 중국을 통일한 뒤

제도와 문물을 대대적으로 정비하고 개혁했어.

이를 기점으로 전·후 시대가 구별되지.

진시황 이전, 즉 삼황오제로부터

삼황(三皇):
복희(伏羲)·신농(神農)·황제(黃帝)

오제(五帝):
소호(少昊)·전욱(顓頊)·제곡(帝嚳)
제요(帝堯)·제순(帝舜)

하·은·주 삼대(三代) 시대를 일컬어

하(夏) 왕조
은(殷)* 왕조
주(周) 왕조

선진(先秦) 시대라고 부르게 된 거야.

*은 왕조의 본래 이름은 상(商)인데, 그 수도가 은이어서 흔히 은으로 불림.

특히 주 왕조의 마지막 시기인 춘추 전국 시대에

춘추(春秋) 시대:
BC 770~BC 453

전국(戰國) 시대:
BC 453~BC 221 (진시황의 통일)

무수히 출현한 걸출한 사상가들 가운데

孔子 孟子 老子
列子 孫子 吳子
韓非子
荀子 管子 墨子

장자는 양적인 면에서 가장 풍부한 사상가였어.

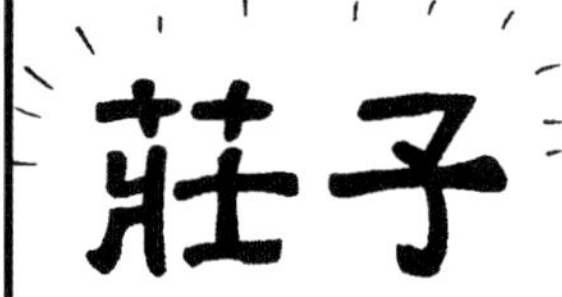

사마천에 의하면 《장자》는 10만여 자의 대작이었다고 하고
《노자》가 5천여 자인 것과 비교해 보세요.
《장자》
《노자》

《한서예문지(漢書藝文志)》에 의하면 52편이 있다고 하였으며, 후대에 왕숙지(王叔之)·향수(向秀) 등의 주석이 있었다는데
장자는….
《장자》 왈….
《장자》에 의하면….

시대가 흐르는 동안 상당 부분 유실되어
흥망이 유수하니 《장자》도 유실되어….

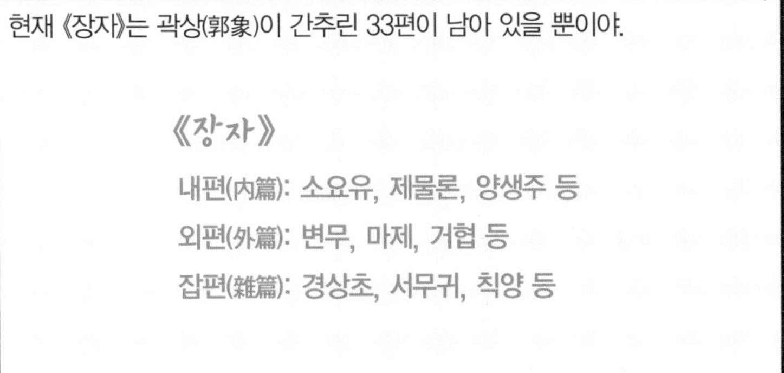
현재 《장자》는 곽상(郭象)이 간추린 33편이 남아 있을 뿐이야.
《장자》
내편(內篇): 소요유, 제물론, 양생주 등
외편(外篇): 변무, 마제, 거협 등
잡편(雜篇): 경상초, 서무귀, 칙양 등

학자들이 연구한 바에 따르면

이중에 내편의 7편만이 장자가 직접 지은 것이고
문체와 사상에 약간의 편차가 있는 걸로 보아….

외편과 잡편은 장자의 사상에 기초해서
〈내편〉이야말로 진짜 《장자》이고….

후대인들이 지어서 덧붙인 것이라 해.
〈외편〉·〈잡편〉은 거~의 《장자》라고 하는 게 옳아요.

따라서 우리는 〈내편〉을 꼼꼼하게 읽은 다음
외편
내편
잡편

그를 바탕으로 나머지 작품을 읽되,
노른자부터 먹자고!

워낙 많은 말과
말
말씀
教
言
訓
曰
文
說
話
language

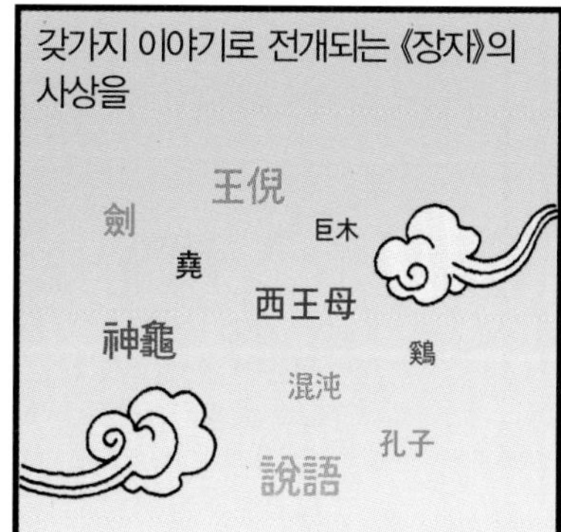
갖가지 이야기로 전개되는 《장자》의 사상을
王倪
劍
巨木
堯
西王母
神龜
鷄
混沌
孔子
說語

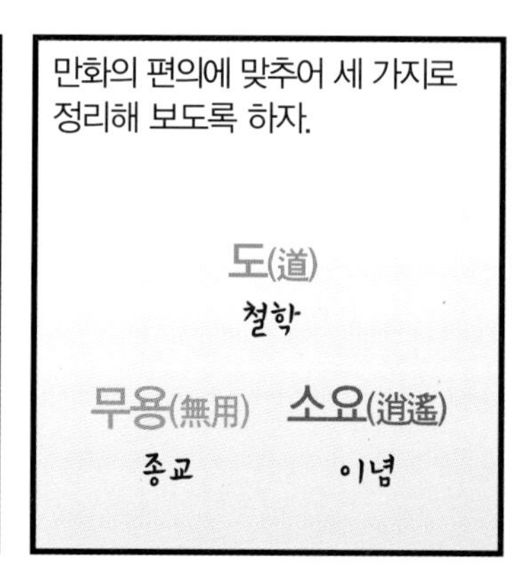
만화의 편의에 맞추어 세 가지로 정리해 보도록 하자.
도(道)
철학
무용(無用)
종교
소요(逍遙)
이념

이중 '도(道)'는 선배 사상가인 노자로부터 이어받은 것이고
道

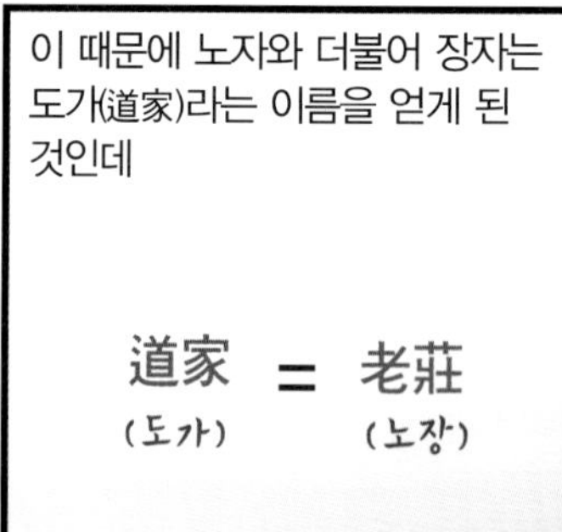
이 때문에 노자와 더불어 장자는 도가(道家)라는 이름을 얻게 된 것인데
道家 (도가) = 老莊 (노장)

따라서 장자의 도를 논하자면 노자부터 이해해야 해.
What is the Tao?

노자(老子).

노자는 춘추 시대, 공자와 동시대 사람으로서
아우님!
성님!

그만의 독특한 사상을 담은 책 《노자》를 남겼어.
老子

《노자》는 후대에 《도덕경》이라는 이름으로도 불렸는데
태상노군 (太上老君)!
노자님!

이때 도는 우주와 인간의 근본 원리를
道

덕은 그 원리의 드러남, 또는 현실적인 응용을 의미해.
德

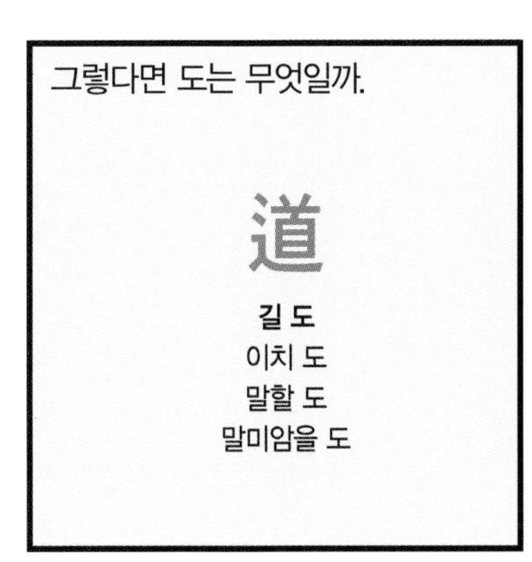
그렇다면 도는 무엇일까.
道
길 도
이치 도
말할 도
말미암을 도

도란 글자 그대로는 '길'이라는 뜻인데

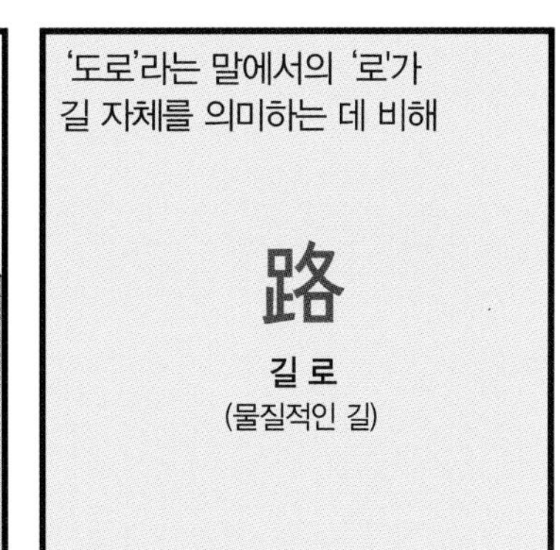
'도로'라는 말에서의 '로'가 길 자체를 의미하는 데 비해
路
길 로
(물질적인 길)

'도'는 사람이 마땅히 가야 할 길을 의미해.
도는 정신, 또는 영혼이 가야 할 길!

길의 상징적인 의미는 동서고금에서 모두 그러했는데
나는 길이요, 진리요, 생명이로다!
팔정도(八正道)!
내 길은 하나로 꿰뚫는다!

노자 또한 자신의 책 첫 구절에서 도를 이야기했어.
道可道非常道
(도가도비상도)
名可名非常名
(명가명비상명)
도라고 말할 수 있는 도는 항상 그러한 도가 아니요, 이름이라고 말할 수 있는 이름 또한 항상 그러한 이름이 아니로다.
도가 도가 아니래. 도대체 무슨 소리?
글쎄 말야. 도가 지나친 말씀 아뇨?

여기서 잠시, 사람이 마땅히 가야 할 길을 생각해 보면

그것은 어디에서 오는 것일까?
이에 대해 철학자마다 의견이 달라요!

맞아. 그것이 신에게서 나온다는 견해가 있는가 하면
사람은 신이 지으셨은즉!

사람의 마음 자체에 있다는 견해도 있지.
마음이 모든 것의 바탕이니라.

한편 공자는 도를 과거 성왕들의 역사 전통에서 찾았는데
요
순
우

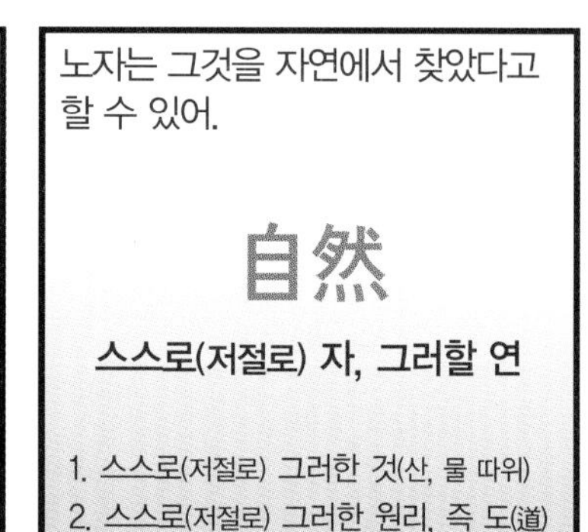
노자는 그것을 자연에서 찾았다고 할 수 있어.
自然
스스로(저절로) 자, 그러할 연
1. 스스로(저절로) 그러한 것(산, 물 따위)
2. 스스로(저절로) 그러한 원리, 즉 도(道)

바꿔 말해서 노자는 자연, 즉 우주 사물에서 궁극 원리를 사유해 낸 다음
산을 보아라. 물을 보아라.

그 원리를 '도'라 부르고
현(玄)하고, 묘(妙)하고, 은(隱)한 것이 도이니….

사람은 그 '도'에 따라 살아가야 한다고 주장했어.
모름지기 무위(無爲) 할지니라.

따라서 노자에게 '자연'의 의미는 깊고도 커.
Nature

그렇다면 '자연'이란 과연 무엇일까.
자연 보호?
산수, 자연 과목?
자연

예전에는 과학 과목을 '자연'이라고 불렀어.
김노자, 자연 100점!

이때의 '자연'은 우리가 흔히 '자연'이라고 부르는 산·물 따위가 아니라
일반적인 의미의 산·물 따위!

산·물 따위가 존재하고 변화하는 법칙·원리를 의미해.
산·물 따위의 법칙·원리!

만유인력의 법칙! 관성의 법칙! 상대성 원리! 불확정성 원리! 등등….

그러나 노자의 자연, 또는 도는 철학적인 것으로서

우주 전체의 근본 원리인데

道生一 一生二 二生三
(도생일 일생이 이생삼)

도에서 하나가 나오고,
하나에서 둘이 나오고,
둘에서 셋이 나온다.

노자는 그것이 너무나 미묘하여 언어로써 이름을 붙일 수는 없지만

道隱無名
(도은무명)

도는 숨어 있어서
이름을 붙일 수 없다.

억지로 이름 붙여 '도'라 한다고 했지.

많은 철학자들이 세상의 존재들은 실제로 존재하는 것이 아니고 현상에 불과하며

그 배후에 실체가 따로 있다고 주장했어.

그런데 플라톤·브라만교·칸트의 그것이 형이상학적인 것으로서 물질 현상으로는 존재하지 않는 것인 데 비해,

노자의 도는 지각할 수 없고 볼 수 없다는 점에서는 이들과 같지만

물질인 자연을 부정하지 않고

그것과 더불어, 그것 자체가 바로 도라는 점이 그들과 달라.

自然 = 道
(산·물 따위)

정리해서 말하자면 장자는 유가가 내세우는 인의(仁義)의 거짓됨(僞)을 비판한 노자의 무위(無爲) 사상을 이어받아 무용(無用)을 거쳐 소요(逍遙)의 지락(至樂)으로 나아갔어.

노자에게 도란,
도나 닦아 볼까?

천지만물, 즉 세계의 모든 것 그 자체와 그것들이 존재하고 움직이는 원리야.
道

노자는 말했어.
無名天地之始
(무명천지지시)
이름 없는 것이 천지의 시초이고….

有名萬物之母
(유명만물지모)
이름 있는 것이 만물의 어머니이다.

즉, 도는 천지만물이 언어로 표현되기 이전의 상태라는 거지.
'돌'이라는 명사가 없다면….
사전

이름이 없다는 것은 언어로 표현할 수 없다는 것이고
'돌'을 뭐라 부르지?

언어로 표현하지 않으면 개념을 성립시킬 수 없으며
'그것', 또는 '저것'이라고 부르지.

억지로 그것을 표현하려면 부정의 형태로밖에 표현할 수 없어.
그렇지만 그것은 대명사일 뿐인데 그게 돌인지 뭔지 어찌 알아?

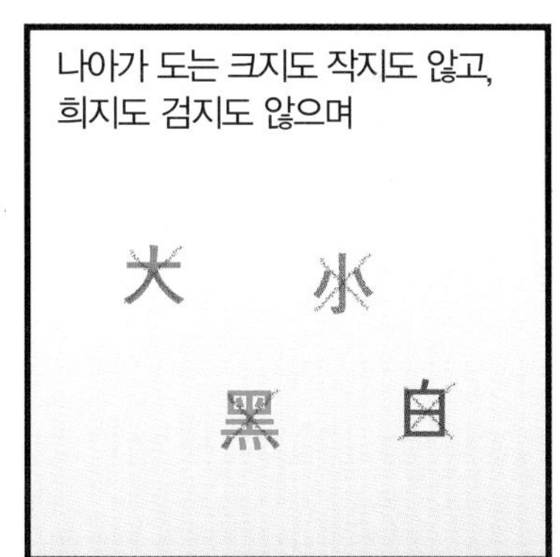

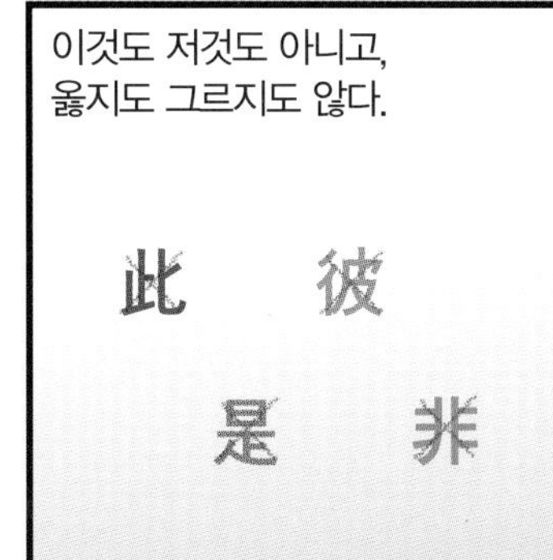

구별하고 차별하여, 좋아하고 싫어하는 데서 생긴다고 했어.

구별⇒ 차별⇒

선악⇒ 호오(好惡)⇒

모순⇒ 문제

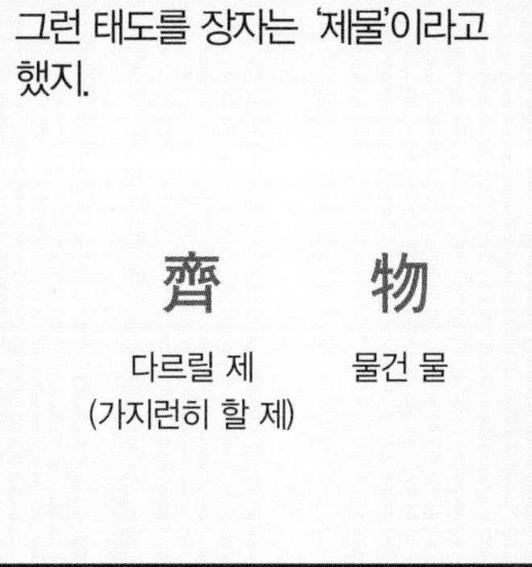

장자는 말해.
모든 사람이 좋아하는 미인인 서시(西施)라 할지라도
물고기에게 다가가면 물고기는 놀라서 도망친다.
으아악
괴물이다!!
나 이뻐?

그러니 서시의 미는 정말로 미일까? 또 정말로 좋은 것일까?
나 이뻐?
끔찍해! 털없는 짐승…

이렇듯 노장은 사람의 입장을 넘어서
인간은 만물의 영장!
세상의 중심!

사람과 물고기가 다함께 설 수 있는 입장에서
떽!
우리는 모두 자연의 일부일 뿐!

나아가 우주만물이 다 함께 설 수 있는 입장에서

사물을 보라고 충고해.
평등, 평등, 절대 평등!

여기서 장자는 우물 안 개구리의 비유를 들어.
개구리가 동해의 자라에게 자랑했다.

자기는 자기의 영토 안에서 왕처럼 지낸다고.

그런 개구리에게 자라가 동해 이야기를 해 주자
바다의 크기는 말이지…
엉?

개구리는 창피하여 숨을 곳을 찾지 못하였듯이
에그! 창피!

장자는 우리 또한 개구리 같은 차별의 세계를 넘어서
크게 보라니까!

자라와 같고, 원추와 같고, 대붕과 같은

위대한 정신에 도달하자고 제안했어.

여기에서 '도'에 이어 장자 사상의 두 번째 요점인 '무용'이 등장하는데
장자가 무용을?
그런 「무용」 말고!!

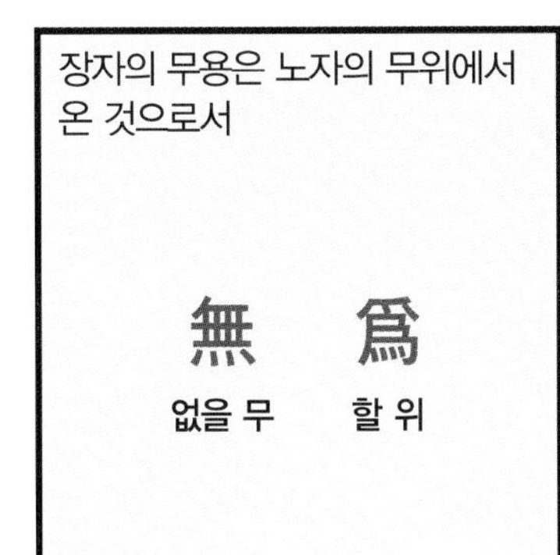
장자의 무용은 노자의 무위에서 온 것으로서
無 爲
없을 무 할 위

무위는 '함이 없음'을 의미해.
그럼 아무것도 안 한다는 말씀?

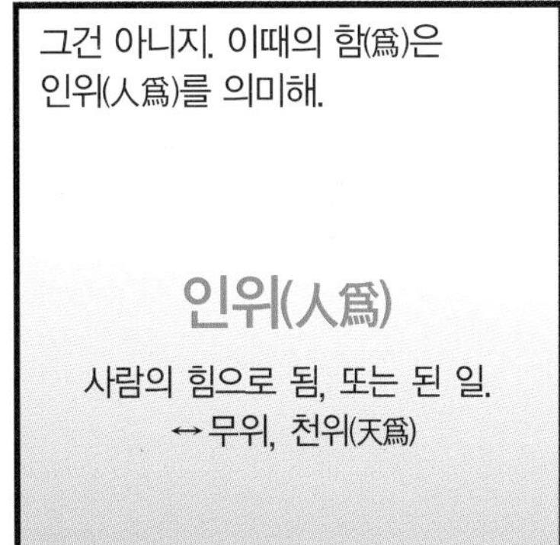
그건 아니지. 이때의 함(爲)은 인위(人爲)를 의미해.
인위(人爲)
사람의 힘으로 됨, 또는 된 일.
↔ 무위, 천위(天爲)

인위는 인공(人工)을 의미하고, 인공은 다시 조작(造作)을 의미하므로
자연을 조작하는 인간들아!

결국 노자의 무위는 조작적인 행위를 하지 말라는 뜻으로
제 마음까지도 조작하는 인간들아!

쉽게 말해 자연스럽게 살라는 의미지.
억지스럽게 조작하며 살지 말고
자연스럽게 살자.

지구상의 모든 것 가운데 오직
인간만이 사물을 조작해.

그에 비해 산이나 물 등 자연물은
'저절로 그러한(自然)' 본래의 성품 그대로
변화하지.
산 절로 수 절로 하니
산수간에 나도 절로.

이때 인간이 대상을 조작하는 것은
인간에게 이기심이 있기 때문인데
내 거!

이렇듯 인간은 자연을 자기의
이기심을 채우는 도구로 보고
내 땅!

남 또한 그렇게 지배하려는 경향이
있어.
내 부하!

노자와 장자는 인간의 이런 면을
비판할 뿐 아니라
함부로 자연을
개발하지 마!

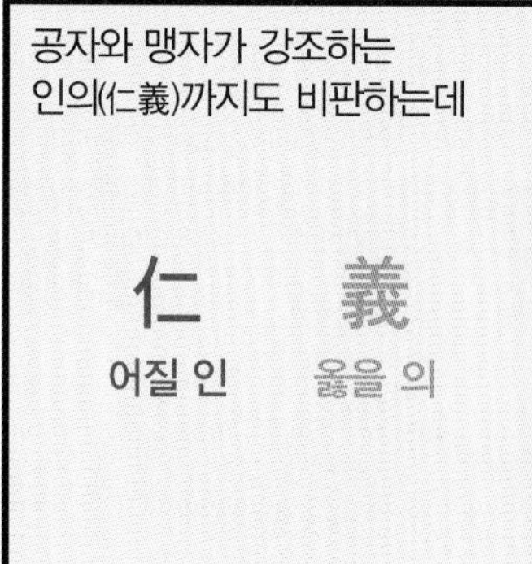
공자와 맹자가 강조하는
인의(仁義)까지도 비판하는데
仁 義
어질 인 옳을 의

인의 도덕 따위는 인간의 본연적인
성품에서 나온 가치가 아니라
仁義
인의는 인위!

여섯 번째 손가락 같은 군더더기라고
보기 때문이야.
인의는
위(僞: 거짓 위)!

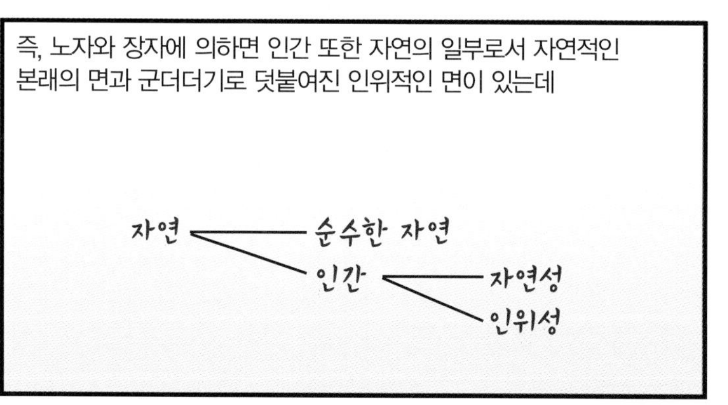
즉, 노자와 장자에 의하면 인간 또한 자연의 일부로서 자연적인
본래의 면과 군더더기로 덧붙여진 인위적인 면이 있는데
자연
순수한 자연
인간
자연성
인위성

유가에서 가르치는 인의 등은
인위적인 것으로
억지로 인의를
세우면….
仁義

자연적인 것, 즉 무위의 차원에서
보면 별로 가치가 없거나
그 인의를 훔쳐서
군림하는 자가
생긴다.
仁義

심지어 진정한 가치를
훼손할 뿐이라고 주장해.
그러니 무위가
최고인겨!

장자는 말했어.
저울추와 저울대를
만들어서 달면 그것들을
훔쳐 가고…

인의를 만들어 세상을
바로잡으려고 하면 인의를
훔쳐 가는 자가 생기는 법!

그러므로 성인의
지식(인의)을 끊어 버려야
대도(大盜)가 그치게 된다.

그러나 그러려면 모든 것을 그냥
내버려 두어야 한다는 결론에
이르게 되는데
노장 사상은
무정부주의!
비슷!

이것은 무질서뿐 아니라
반문화적인 것이므로
노장 사상은
히피 사상!
비슷!

유가(공자)가 문화를 매우 높은
가치로 선양하는 데 비해
하늘이 나에게
문화를 주셨으니….

도가(노자·장자)는 문화(문명)를
부정하는 사상이라고 할 수 있지.
문화
문화에는
인공·조작의
면이 있음.

아무튼 노자가 무위를 강조한 것을
이어받아
옛다, 받아라!
무위

장자는 쓸모없이 살 것을 제안했어.
무위도 제겐
무용(無用)입니다.!
무위

노자는 말했어.
無爲無不爲
(무위무불위)
인위적이지 않으면 모든 것이 저절로 이루어진다.

또한 장자는 말했어.
無用大用
(무용대용)
쓸모없는 것이 참으로 쓸모 있는 것이다.

장자는 쓸모 있는 사람은 그 능력 때문에
내가 하도 쓸모가 있다 보니 유 황숙께서 세 번이나….

남, 또는 세상에게 부림을 당하다가
쓸모 있다 보니 내 인생 참 피곤해.

쓸모가 다하면 비참하게 버려지고 만다고 했지.
결국 통일을 못하고 섭섭하게 죽었소.

그런 사정은 죽어서 비단에 싸인 거북이와

살아서 진흙 속에 노니는 거북이 비유를 통해 앞에서 이미 보았지?

이렇듯 노자와 장자는 문화를 버리고 자연스럽고 소박하게 살 것과

조작과 이기심과 유용성에서 멀리 벗어나

지락(至樂), 즉 지극한 즐거움을 누리자고 제안했어.
지락은 노장 사상의 실천 명제!

그렇다면 지락은 어떻게 가능한 것일까.
바지락? 바스락?

지금까지의 논의로 보아 결론은 뻔해.
쓸모를 버려라! 할 일 없이 살아라!

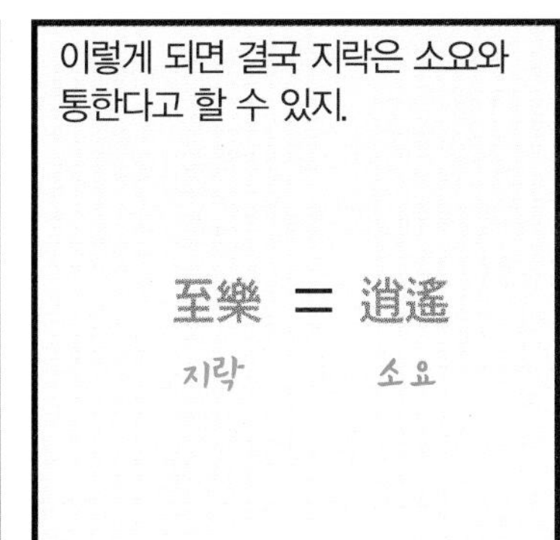

여기서 '산책'과 대비되는 것이 '일'이야.

산책 ↔ 일

WALKING WORK

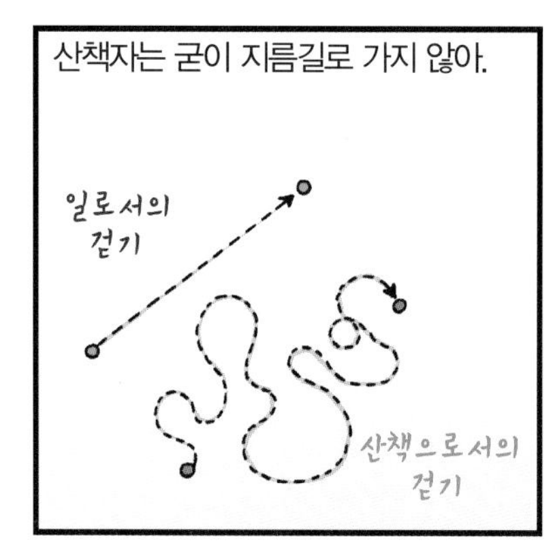

*선유후도(先儒後道): 먼저 유가를 배운 다음 나중에 도가에 귀의함.

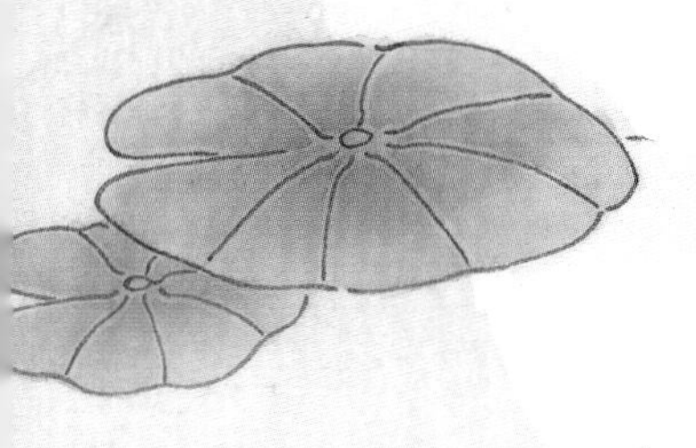

온갖 사상이 나타난 춘추전국 시대

제자백가(諸子百家)라는 말을 들어본 적이 있나요? 제자백가에서 '제자'는 '여러 선생님들'을 의미하고, '백가'는 '다채로운 사상'을 의미해요. 그렇다면 제자백가가 나타난 때는 언제인지 아세요? 제자백가가 나타나 활동하던 때는 춘추전국 시대(B.C. 770~221)였어요.

춘추전국 시대는 중국 역사상 가장 혼란스러운 시기였어요. 그 무렵 중국은 철을 다루는 기술이 급격하게 발전해 무기와 수레를 손쉽게 만들 수 있었어요. 그러다 보니 교통·통신이 원활해지면서 힘이 가진 권력자가 이웃 지방을 넘보는 일이 자주 일어났던 거예요.

당시까지 중국 사회는 사람을 다섯 계급으로 구별하고 있었어요. 그 다섯 계급은 (1)왕(王), (2) 지방의 작은 왕 격인 제후(諸侯), (3) 제후 아래에서 자기 땅을 갖고 있거나 높은 직위를 갖고 있는 대부(大夫), (4) 아직 대부가 되지 못했지만 언제든지 대부가 될 수 있는 가능성을 갖고 있는 사(士), (5) 일반 백성인 민(民) 등인데, 다시 그 아래로 노예 계급이 있었어요.

처음 이 계급 제도는 나름대로 견고하게 유지되면서 사회 질서를 잘 버티게 해 주었어요. 그렇지만 춘추 시대(BC. 770~453)가 되면서부터 제후들 간에 힘겨루기가 시작되었고, 전국 시대(BC. 453~221)에 이르러서는 어느 한 해 전쟁이 없는 때가 없을 정도로 극심한 투쟁이 벌어졌어요.

춘추전국 시대에 일어난 모든 제후국 간의 분쟁은 일반 백성들을 위한 것이 아니라 제후들 간의 이익 다툼에 불과했어요. 그렇지만 그 분쟁의 고통은 고스란히 백성들에게 떨어졌어요. 제후들의 투쟁 때문에 애먼 일반 백성들이 목숨과 재산을 잃는 일이 자주 일어났던 거예요.

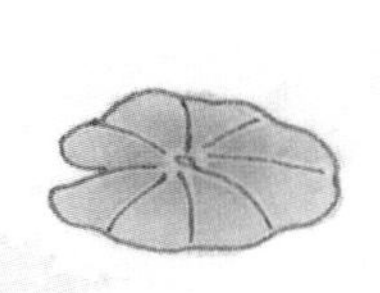
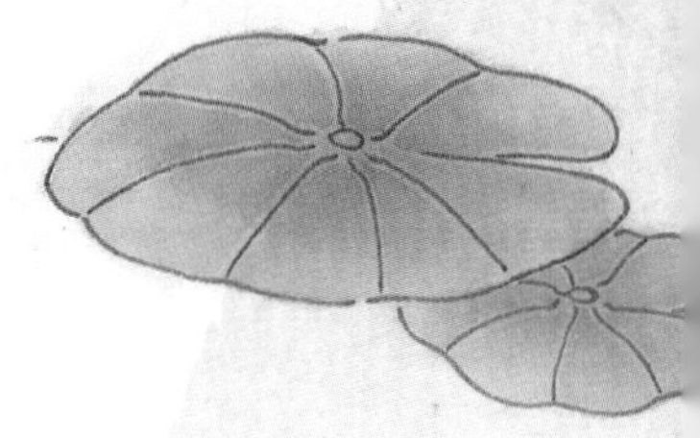

그러다 보니 지식인들은 이런 혼란의 상황에서 이 혼란을 어떻게 하면 해결할 수 있을까 하는 생각을 하지 않을 수 없었어요. 그 결과 여러 선생님들에 의해 여러 가지 사상이 나타나게 된 것인데, 후대의 사람들이 그 모두를 총칭해 제자백가라고 부르게 된 거예요.

제자백가 중에 가장 중요한 네 가지 사상을 간단히 정리해 볼게요.

유가(儒家) 공자(孔子)가 창시한 이 사상은 한대(漢代) 이후 약 2천 년 동안 중국을 지배하는 중심 역할을 했어요. 우리나라의 조선이 국가 이념으로 채택했던 성리학(性理學) 사상 또한 공자의 유가 사상을 후대 학자들이 보완, 발전시킨 것이었어요.

유가 사상을 가장 간결하게 나타낸 말은 수신-제가-치국-평천하(修身齊家治國平天下)라는 말일 거예요. 이 말은 "나 자신을 닦고, 집안을 가지런히 하고, 나라를 다스리고, 천하를 태평하게 한다."는 의미인데, 이로써 알 수 있듯이 유가 사상은 선비가 자신을 다스려 덕을 쌓은 다음, 그 덕으로써 정치에 참여하여 세상을 이익되게 하자는 사상이에요.

도가(道家) 노자(老子)가 창시한 이 사상은 유가의 철학을 자연스럽지 않다며 비판해요. 그렇지만 도가 사상이 중국 사회를 이끌거나 변화시킨 적은 없어요. 그 대신 이 사상은 현실에서 조금 떨어진 곳, 즉 철학 및 예술인 분야에서 은근한 힘을 발휘했어요.

묵가(墨家) 이름이 묵적(墨翟)인 묵자(墨子)에 의해 제창된 이 사상 또한 현실에 적용된 적은 거의 없어요. 그것은 묵자가 귀족 계급 출신이 아니었다는 점 때문이기도 하고, 그의 사상이 중국 사람들의 마음에 잘 맞아떨어지지 않았기 때문이기도 했을 거예요. 그는 가족 간의 정(효도, 우애)을 중시하는 유가 사상을 비판하면서 가족만이 아니라 세상 모든 사람을 사랑해야 한다고 주장하기도 하고, 검박하게 살 뿐 굳이 재산을 늘일 것은 아니라고 주장하기도 했는데, 이같은 주장은 중국 사람들이 바라는 방향이 아니었던 거예요.

법가(法家) 이 사상은 춘추 시대 제(齊)나라의 명재상이었던 관중(管仲)과 전국 시대에 강력한 법령을 시행하여 진(秦)나라를 강대국으로 발전시킨 상앙(商鞅), 《한비자(韓非子)》라는 책을 남긴 한비(韓非) 등에서 찾아볼 수 있는 사상인데, 이 사상의 특징은 인간의 본성을 악하다고 본다는 데 있어요. 그에 비해 유가는 인간의 본성을 착한 것으로 봐요. 그에 근거하여 유가는 인간이 본래부터 가지고 있는 착한 덕을 잘 계발하면 온갖 사회 문제를 해결할 수 있다고 주장하고, 법가는 인간의 나쁜 면을 법으로써 억제해야만 사회 문제가 해결된다고 주장하게 되었던 거예요.

이들 네 가지 중요한 사상 말고도 제자백가에는 전쟁에서 승리하는 비결을 논한 손자(孫子)를 비롯한 병가(兵家), 논리학파인 명가(名家), 음양오행설을 주장한 음양가(陰陽家), 제후들을 찾아다니며 여러 가지 변론을 펼친 종횡가(縱橫家), 농업을 중시한 농가(農家), 여러 가지 사상이 뒤섞인 잡가(雜家) 등이 있어요.

《장자》 해설 1_내편(內篇)

모든 사물을 평등하게 바라보라

제물론(齊物論)

정신적인 자유를 얻으려면 먼저 그 바탕을 이루는 철학적인 기반을 구축해야 하는데, 장자는 대소(大小)·선악(善惡)·미추(美醜) 등의 구별이 없었던 원시 태초의 상태에서 모든 것을 동등한 것으로 보아야 한다고 주장한다.

이제 본격적으로 작품 안으로 들어가 보자고.

《장자》가 3편으로 구성되어 있다는 것은 이미 말했는데

내편(內篇)	소요유, 제물론, 양생주, 인간세, 덕충부, 대종사, 응제왕 등 7편
외편(外篇)	변무, 마제, 거협, 재유, 천지, 천도, 천운, 각의, 선성, 추수, 지락, 달생, 산목, 전자방, 지북유 등 15편
잡편(雜篇)	경상초, 서무귀, 칙양, 외물, 우언, 양왕, 도척, 설검, 어부, 열어구, 천하 등 11편

〈내편〉 중 첫머리이자 가장 장자다운 글인 '소요유'에 대해서는 맨처음에 소개한 그대로야.

북명(北冥)에 유어(有魚)하니
기명위곤(其名爲鯤)이니라.
곤지대(鯤之大)부지기기천리야
(不知其幾千里也)니라

북쪽 바다에 물고기가 있으니
그 이름이 곤이더라. 곤의 크기로
말할새 몇 천 리가 되는지
아지 몰할레라.

〈내편〉의 두 번째 글은 '제물론'인데

齊 다스릴 제, 가지런히 할 제

物 물건 물

이는 모든 사물을 평등하게 보아야만 삶을 달관하게 된다는 의미로

장자는 역시 여기에서도 우언으로써 자기의 사상을 전개했어.

덧붙여 남곽자기가 말했어.

大知閑閑 小知閒閒(대지한한 소지한한)
큰 지혜는 여유롭고 작은 지혜는 사소하게 따진다.

大言炎炎 小言詹詹(대언염염 소언첨첨)
훌륭한 말은 활달하고 보잘것없는 말은 수다스럽다.

지극한 도는 무엇에 가려졌기에 참과 거짓이 있으며, 말은 무엇에 가려졌기에 시비가 일어나는 것일까?

여기에서 장자의 독특한 제물 철학이 전개돼.
모든 사물에는 저것 아닌 것이 없고,
또한 이것 아닌 것도 없다. 저것은 이것에서 나오고,
이것은 저것에서 나온다. 옳음이 있음으로써
옳지 않음이 있고,
옳지 않음이 있음으로써 옳음이 있다.
옳음은 옳다가 그르게 되고,
그름은 그르다가 옳게 된다.
그러므로 성인은 이런 구별을 떠나
순수한 하늘의 차원에서 만물을 비추어 본다.

결국 이것이 곧 저것이요,
저것이 곧 이것이다.
난해한
댄스인걸…

이렇듯 이것과 저것을
하나로 보는 것, 그것을
'도의 지도리(도추 : 道樞)' 라고
한다.

여기에서 '지도리' 란 문을 여닫게
하는 축을 가리키는데
지도리→

문은 지도리를 중심으로 돌게 마련이니,
요즘 말로 하면 '허브'라
할 수 있지.
인천 공항을
아시아 물류의
허브로 만듭시다!
요컨대 중심이자,
축이라는 말씀!
허브

이 도의 지도리를
잡아야만….
道

만물의 한복판에서
무궁(無窮)에 응하는 법!

결국 옳은 것도 하나의
무궁이요…

그른 것도 하나의
무궁이다.

따라서 도추,
즉 본연의 밝음에
비추어 보는 것이…

진정한 삶을 사는
요체이다.
삶

여기에서 장자는 묘한 말을 던져.
손가락으로써
손가락의 손가락 아님을
깨우치는 것은 손가락 아님으로써
손가락 아님을 깨우치는 것만 못하고,
말(馬)로써 말의 말 아님을 깨우치는 것은
말 아님으로써 말 아님을
깨우치는 것만 못하니,
이것은 천지가 하나의 손가락이요,
만물이 한 마리의 말인
까닭이다.
대체 무슨 소리?
엥?

장자의 이 말은 명가(名家) 학파
공손룡(公孫龍)의 주장인
명가 학파

'백마비마론(白馬非馬論)'을 염두에
둔 것이야.
흰 말은 말이
아니다.

공손룡이 다음과 같은 주장을 했다고 해.
흰 말에서,
흰 것 자체가
말은 아니다.

따라서
흰 말은 말이 아니다.
무슨 말장난
같은 소리?
그러게
말이야.

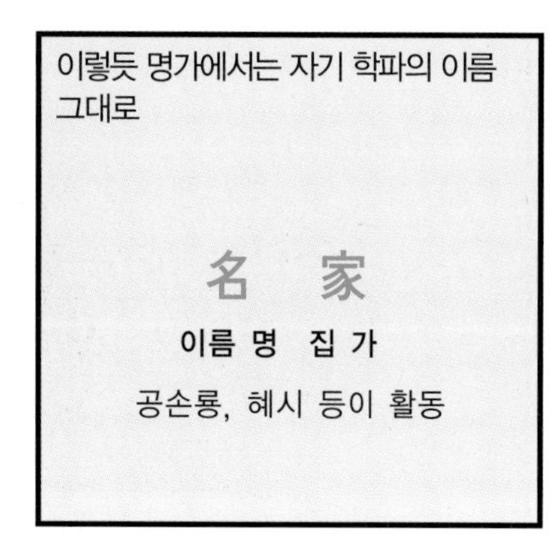
이렇듯 명가에서는 자기 학파의 이름 그대로
名 家
이름 명 집 가
공손룡, 혜시 등이 활동

사물에 이름을 지어 붙이는 문제를 파고들었는데
나는 너를 맹구라고 부르겠다.

우리는 어쩔 수 없이 사물에 이름을 붙이게 되기는 하지만
나는 너를 짱구라고 할겨.

이름 그것이 사물 자체가 아님을 강조했어.
그러나 우리는 정말로는
맹구도 짱구도 아녀.

그 점은 도가 또한 마찬가지였는데 노자도 이런 말을 했어.
名可名非常名
(명가명비상명)
이름이라고 말할 수 있는 이름은 항상 그러한 이름이 아니다.

장자는 그런 배경에서 '손가락 아님'과 '말 아님', 즉 말(言)을 초월하는 언어를 제안하는 한편
이름은 사물을 묶고 제한하는 법.
이름을 부정하여 사물을 가리키자.
이름

거기에서 더 나아가 언어가 '이것'과 '저것'을 나눌 필요에서 생긴 것임을 지적하고
사물은 일컬음으로써 이름이 생긴다.
그렇다니까 그렇고, 그렇지 않다니까 그렇지 않을 뿐이지 본래부터 그렇다거나 그렇지 않은 것이 아니다.
장자

이것과 저것을 구별짓는 차별성을 넘어선 경지, 즉 '도추'의 차원을 제시한 거야.
사물은 본래 그렇지 않은 것이 없고, 옳지 않은 것이 없다.
본래의 차원에서 보면 모두가 통하여 하나가 되는 법!

따라서 큰 기둥과 작은 나무 꼬챙이도
하나요

미녀 서시(西施)와 추한 여자도
하나이며,

기이한 것, 변덕스러운 것,
괴상한 것 등 모든 것이 하나로
통하지.

이러한 도리에 통달한 사람은
하나의 이치에 서서

사사로운 자기의 의견을 내지
않고 떳떳한 자연의 이치에 맡겨
둘 뿐이며,

억지로 마음을 괴롭혀 하나로
만들려고도 하지 않아.
自然

여기에서 장자는 유명한
'조삼모사(朝三暮四)'의 비유를 들어.
아침에는 셋,
저녁에는 넷!
조삼모사

옛날 송나라에 원숭이 기르는
노인이 있었는데

어느 날 노인이 원숭이들에게
말했대.
원숭이들아,
오늘부터 너희에게…

도토리를
아침에 세 공기,
저녁에 네 공기씩
주겠다.

그러자 원숭이들이 일제히 성을 내었어.
뭐?
겨우 세 공기?
임금 투쟁!
말도 안 돼!
우리를
착취하지
마라!

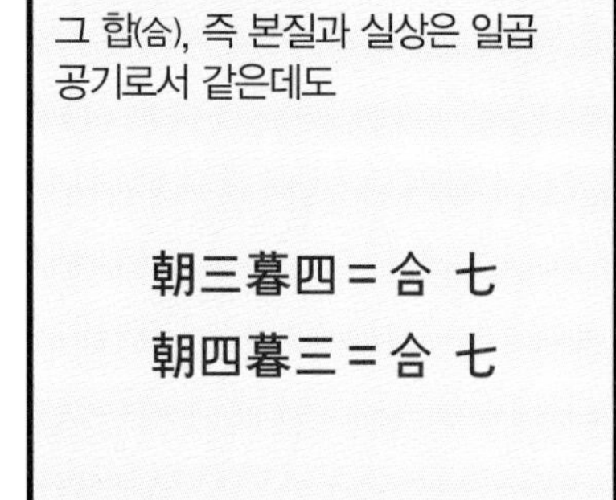

아침과 저녁을 따로 봄으로써
많다느니 적다느니 하는

朝三 = 적다 = 비(非)

朝四 = 많다 = 시(是)

우리에겐 다소 엉뚱하게 들리는 철학적 주장을 펼쳐.
천하에 털끝보다 큰 것이 없고, 태산도 작은 것이 될 수 있다. 어려서 죽은 아이보다 오래 산 이가 없을 수가 있고, 800살을 산 팽조가 요절했다고 할 수도 있다.
어르신 어디를 그리 바삐 가십니까요?
굽실
에헴!

물론 이런 주장은 평범한 독자인 우리에게는 황당하게 들리지.
당신, 대체 상식이 있는 거요, 없는 거요?

황당하단 말이군.
그럼 다른 이야기를 하나 들어 보소.
하하

여희(麗姬)는 애(艾)나라의 미인이었는데

국경 지방의 가난한 집 딸인 그녀를
어쩌나? 쌀은 떨어지고…

진나라 임금이 후실로 뽑아 갈 때
네가 왕의 제3부인으로 뽑혔다.

그녀는 눈물 콧물로 옷깃을 적시며 울었어.
이를 어째?
엉엉

그러나 진나라 왕궁에서 맛있는 음식과 좋은 옷을 입더니
매일매일 뷔페에 뿌에르가르댕!

전에 울었던 것을 뉘우쳤대.
그때는 내가 바보였지!

장자의 이 이야기는 앞의 철학적
논의보다 훨씬 가깝게 들리는데
이제
좀 알겠군!

다만 장자는 이 비유를 좀 더
폭 넓게, 예를 들어 죽음과 삶에까지
확대 적용한다는 점이 우리와 달라.
끄덕
끄덕

그러니 죽은 이가 살아서
살기만을 바랐던 것을
후회하고 있을지
누가 아는가?

그리하여 장자는 이렇게 말해.
꿈에 즐겁게 술을 마시던 사람이 날 샌 뒤에는 울고,
꿈에 울던 사람은 날 샌 뒤에 휘파람 불며 사냥을 나가네.
꿈꿀 때는 그것이 꿈인 줄 모르다가
깬 뒤에야 그것이 꿈인 줄 아나니,
크게 깨친 사람이라야 삶이 한바탕 꿈인 것을
알 수 있으리!
삶이란 그저
한바탕 꿈인 것을!

그것을 모르고서 나는 똑똑하다,
너는 미련하다 다투고

나는 임금이다, 너는 목동이다
하고 귀천을 가리니 딱하도다!

아아, 옳고 그름을 무심과 혼돈에
맡겨 두고

아무런 구속도 없는 자유에
노닐지니

바로 이것이
무한한 경지로다!

마지막으로 장자는 뒷날 자신을 대표하는 우화로 알려지게 되는 '나비의 꿈' 이야기를 들려줘.
胡蝶夢
(호접몽)

어느 날 나는 꿈에 나비가 되었다.

그때 나는 훨훨 날면서 즐겼을 뿐

내가 장자인 줄을 알지 못하였다.
으악!
인간이다!

그러다가 문득 깬 뒤에야 돌아보니 나는 장자였는데
꿈이었군!

그렇다면 내가 그때 나비꿈을 꾼 것일까?
아니면 나비가 지금 장자 꿈을 꾸고 있는 것일까?

아무튼 나비와 나는 서로 구별된 존재.

나는 이것을 물화(物化 : 만물의 변화)라고 부르셨다.

통달한 마음으로 신명을 보존하라

양생주(養生主)

중국인들의 큰 관심사는 삶을 온전하게 보존하는 문제였다. 따라서 장자 철학 또한 한편으로는 초월적인 인식을 강조하지만 다른 한편으로는 신명(身命)을 온전하게 보존하는 길을 제시하는데…….

노자·장자로 이어지는 도가 철학은

나중에 도교(道敎), 즉 종교로 변질(변화)되기도 했고,

몸을 단련하는 기공(氣功)에서도 흔히 인용되는데

그것은 도가 철학 속에 몸, 또는 명(命)이 매우 중요하게 다루어졌기 때문이야.

기공의 단계

연정화기(鍊精化氣): 정을 수련하여 기를 기른다.

연기화신(鍊氣化神): 기를 수련하여 신령함에 이른다.

그에 비해 공자는 몸을 예에 맞도록 움직일 것과

살신성인(殺身成仁)을 말했을 뿐

성명(性命)을 보존하는 데 대해서는 말하지 않았어.

공자가 제안하는 몸을 보존하는 도리는 이런 거야.
임금이 내 뜻을 정 안 받아 주면…

두 번, 세 번 간(諫)하다가…
아니 되옵니다!

잠잠히 물러나 화를 피하는 것이 중용의 도리이다.
싫음 말고.
바이~

그에 비해 장자는 애초부터 임금에게 종속되지 말 것과
처음부터 벼슬을 안 했으면 떠날 일도 없걸랑.

지극히 자연스러운 생각과 행동으로서 성명을 잘 보존하라고 조언하고 있어.
무리하지 마라.
물처럼 흘러가라.
애쓰지 마라.
자연스러워라.

장자는 말해.
우리의 삶에는 한계가 있으나 앎에는 한계가 없다.

이 경우 유한한 것으로써 무한한 것을 따르면 위험하다.

그런데 사람들은 유한한 몸으로써 무한한 욕심을 내는데…

그것은 더욱더 위험한 일이다.

몸을 보존하고, 어버이를 섬기고, 타고난 수명을 다하려면…

오로지 천연스러워야 하는데,
내가 이야기를 하나 해 주지.

옛날에 요리 잘하는
친구가 있었걸랑.

이름?
이름이
뭔데요?

이름이라고 할 수 있는
이름은 항상 그러한
이름이 아니랬잖아?

그래도 이름이
꼭 필요하다면 그냥
포정(庖丁)이라고
해 두자고.

포정은 요리하는
사람이라는 뜻이잖아요?
일반명사.

일반명사를
고유명사로 쓰자니까!
쩝

포정이 문혜군(文惠君 : 양혜왕)을 위해
소를 잡은 이야기야.

그 기막힌
솜씨라니!
카아

그것은 한마디로
도(道)의
경지였지.

쪼록쪼록, 싹싹 소리를 내며 칼을 쓰는데, 행동이나 소리가
모두 다 박자와 음률에 척척 맞아떨어지니
이렇게 돌리고
저렇게 헤집고
물 흐르듯
자연스럽게.

그 몸놀림은 옛 임금의 잔치에서
보던 춤과도 같고

그 소리 또한 옛 임금 때
노래에 맞추던 장단과 같아서
설겅 설겅
뚜르릉
두둥

문혜군이 크게 감탄했어.
오우~,
이럴 수가!

아
아아, 참으로
훌륭하구나!

기술이 대체
이 경지에 이를 수
있더라 말인가?

포정은 칼을 내려놓고
휘리릭
척

임금 앞에 조용히 읍하더니 말했지.

제가 처음으로
소를 잡던 때…

제 눈에는 소밖에
보이지
않았습니다.

그러나 3년이
지난 뒤부터…
1
2
3

저는 소를 통
본 적이 없습니다.
엥?

저는 지금 손발이나
눈 등 감각기관은
멈춰 버린 상태에서

마음만이 활발하게
움직이는데

중요한 것은 제가
소의 자연스런 본성을
따라간다는 점입니다.

즉, 포정은 소를 자기
욕심에 맞도록
인위(人爲)하는 것이
아니라
자기 욕심을 버리고
소의 본성에 맞추어
흘러간다는 것인데…

이것이 장자가 말하고
싶은 무위(無爲)이자 성명
보전의 길이라는 말씀!

포정의 말은 이어졌어.
제가 소뼈와 살이 맞붙은 틈바구니와
뼈마디가 이어진 구멍 사이에 칼을 넣을 때

저는 소의 생긴 그대로를 따를 뿐

억지를 써서 칼날을 상하게 하지 않습니다.
오!

솜씨 있는 백정은 1년에 한 번 칼을 바꾸는데
칼을 바꿔야겠군!

그것은 그가 뼈를 베지는 않지만 살을 베기 때문이고

보통 백정은 한 달마다 칼을 바꾸는데
벌써 한 달 됐나?

그것은 그가 살과 함께 뼈까지 건드리기 때문입니다.
텅 텅

그렇다면 자네는?
살도 안 벤다는 얘긴가?

으헉!
자, 보십시오.

이 칼로 저는 19년 동안 수천 마리의 소를 잡았지만

지금 막 숫돌에 간 것처럼 예리합니다.

뼈의 마디에는
얇은 틈이 있습니다.

그런데 칼의 날끝에는
두께가 없습니다.

그러니 두께가 없는 칼날이
틈새로 지나가게 하면
스릉

칼날은 조금도 손상시키지 않고
소를 잡을 수 있습니다.

그렇긴 하지만 뼈와 힘줄이
뒤엉킨 곳에서는 저도 조심을 합니다.

가만가만, 조심조심….

그리고 마침내
뼈와 살이 분리되어

척! 하고 갈라지는데
척

마치 흙덩이가
땅에 떨어지는 것과 같습니다.
와우!

그때 저는 미소를 띠며 흐뭇한
마음으로 일어서서

사방을 둘러보며 칼을 닦습니다.
보람찬
하루일을~

좋구나!
내가 이제 생명을
기르는 도를
깨달았도다!

포정의 신기한 이야기에서 장자는
흑석 정육점
아! 나는 언제쯤 그런 경지에….

사물을 내 뜻에 맞도록 조작하지 말고
조작은 곧 인위인즉!

그 본성에 따라 다루어야 함을 말하고 있는데
본성에 따름이 곧 무위인즉!

장자는 이런 자세를 더 밀고 나아가
한낱 백정도 도의 끄트머리를 잡았거늘

죽음 또한 천지의 자연스러운 도리로 받아들여
도인, 지인, 선인이야…

굳이 슬퍼하지 말아야 한다고 말해.
어찌 죽음을 통달하지 못하랴?

그래서 다시 이야기 하나.
이번엔 노자의 이야기를 하자고.
일단 목 좀 축이고…

그런데 내 책에 나오는 노자는 역사상·사실상의 노자가 아니라…

내가 가공한 노자, 즉 문학적 창작으로서의 노자인 것은 아시겠지?

그럼 픽션(허구)이란 말이네요.
설명을 돕기 위한 장치지!

그 점, 공자 또한 마찬가지이고, 다른 인물도 그러니 유념하셔.

알았으니까 이야기나 해 주세요.

노자가 죽었을 때 진일(秦失)이 문상을 갔는데

단지 세 번 곡하고 물러나니
아이고 × 3

제자가 의아하여 물었어.
친구에게 너무 소홀한 거 아닙니까?

나는 그를 대단하게 여겼는데 그게 아니었소.
쿵!

가서 보니 남녀노소가 친족을 잃은 듯 울고 있었는데…
엉엉

그것은 그가 뭇 사람들의 인정을 샀다는 뜻이요.
흐흑! 그분이 돌아가시다니…

그것은 그가 비록 정을 요구하지는 않았더라도

실제로는 요구한 것과 마찬가지의 행동을 했기 때문일 것이니…
내가 뭘…
쩝

그런 억지는 자연스러운 도리를 배반하고

타고난 본성을 잊어버린 것이오.
옳거니!

여기에서 장자는 진일의 입을 통해
진 선생, 내 대신 말 좀 해 주소.
엥?
그… 그럽시다.

사람이 세상에 나고 죽는 것은
사람이 세상에 온 것은 때가 되었기 때문이요

다 운명이라고 설파해.
가는 것 또한 그러하니

그것을 편안히 여겨 운명에 맡기면…

슬픔과 즐거움이 마음을 흔들지 못하는 법!
흑흑! 그분이 가시다니…
어허! 모두 자연의 순리일 뿐!

보라, 장작불이 타는 것을!

훨훨 타다가 이윽고 불이 사라진다.

이렇듯 하나의 장작불은 없어지지만
불이 사라졌어!

불 자체는 없어지지 않아서 다른 데서 또 일어나니…
찰칵
와! 불이 여깄네!

사람의 명 또한 그러한 것.

옛 사람들은 이런 도리를 제지현해(帝之縣解)라고 불렀느니라
제시…

이렇듯 장자는 마음의 통달로부터

양생의 도를 구했던 거야.

욕심을 버리고 세상에서 떨어져라

인간세(人間世)

세상을 피하는 사상이라 할지라도 장자의 사상은 완전히 세상을 등지는 데 까지는 나아가지 않는다. 장자는 쓸모없는 것의 쓸모에 안주하는 독특한 처세 철학을 제시한다.

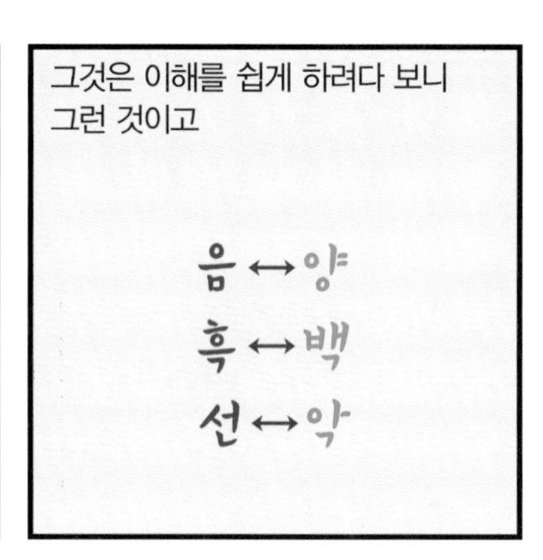

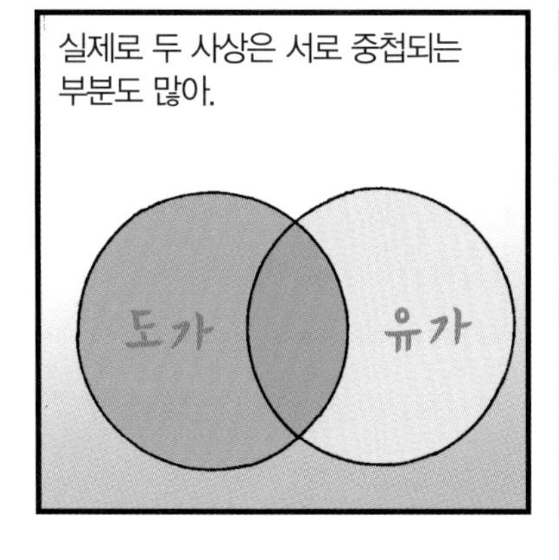

힌두 사상과 불교를 낳은
인도인에 비해

노자와 공자를 낳은 중국인들은
보다 현실적인 사람들이었어.

이렇듯 중국인과 인도인은 달라.
뜬구름!
저차원!

인도는 형이상학적인 종교 중심의 사회가 된 데 비해
깨달음!
명상!
브라만!
해탈!

중국에서는 세상, 또는 세속 안에서 어떻게 처신할
것인가가 매우 중요한 문제로 다루어졌지.
처세(處世)!
처신(處身)!
진퇴(進退)!

그 점에서 도가 철학도 유가 철학과 마찬가지로 처세론을
포함하게 되는데
노자는 심오하고
고상한 줄만 알았는데?
그러게
말야.

그러나 역시 도가의 처세론은
도가다운 심오함에 이른다는
것이 독특한
점이야.
처세에도
차원이 있걸랑.
그냥 처세와
도적(道的)인
처세!

그래서 장자는 〈내편〉의 네 번째
장인 '인간세' 편에서
《장자》
↓
〈내편〉
↓
'인간세(人間世)'

지혜로운 자의 차원 높은 처세론을
전개하게 되는데
어차피 사람은
사람 속에서 사는 법.

인용하는 예화의 주인공들은 뜻밖에도
공자를 비롯한 유가학파 사람들이야.
역시 처세하면
걔네들이!

안회(顔回)는 공자의
고제자(高弟子)로 첫 손꼽히는
인물인데

공자와 안회는 장자로부터 2백여 년 전
사람들로서
공자 그 분!
안회
그 양반!

이미 중국 사회에 널리 알려진
인물이었어.
공자라면 성인이자
최고의 지식인이다, 알간?

따라서 오늘날 사람들이 자기의 말에 권위를 높이기 위해
예수·석가의 어록을 인용하듯이
예수께서
이르시되….
부처님께서
말씀하시기를….

당시의 사람들은 요·순 등 고대 성왕과 함께 공자를
비롯한 고대 현자들을 인용하였는데
순임금
당시에…
공자가 그랬대.

다만 장자는 상상력이 풍부한
창작가로서
기록에 의하면
공자가 A했군!

사실상의 공자(안회)에 가감첨삭을
행하여
거기에
내 사상인 B를
더하면….

새로운 인물상을 자유로이 제시했어.
공자는 A하고도
B하였으니,
결국 AB였느니라.
A×B=AB

그렇게 탄생한 이야기 하나.
안회가
중니(仲尼:공자)를
뵙고 인사를 드리자
공자가 물었다.
어디로
가려느냐?
위(衛)나라로
가려 합니다.

듣자 하니 위나라 임금은 백성을
함부로 죽인다고 합니다.
그런데….

제가
선생님께 들은
바로는…
"잘 다스려지는 나라에서
떠나 어지러운 나라로 가라.
좋은 의사에게 환자가
많이 모이느니라."라고
하셨으니…

저는 위나라의 병을
고치기 위해 그리로
가고자 합니다

그러자 공자가 말했어.
그만두어라.
그만두어라.
가서 욕만 볼까
두렵구나.

옛날의 지인(至人)들은
자기가 준비된
뒤에야 남의 일을
꾀하였다.

그런데 너는 아직 충분치 못한
지혜와 덕으로써 위왕의 잘못됨을
고치려 하지만

옛날에 걸왕(桀王)은 바른 말 하는
관용봉(關龍逢)을 죽였고
됐거든!
죽여!

주왕(紂王)은 역시 충간하는
비간(比干)을 죽였는데
없애!

너는 용봉·비간처럼 되지 않을
비책이라도 있느냐?

단정하고, 겸손하고,
부지런하고,
덕을 기르면
안 되겠습니까?

안 될걸.
그는 그런 정도는
받아들이지 않는
고집쟁이거든.

마음은 곧되 겉모습은
부드럽고, 말을 할 때는
옛 법도를 기준하면
어떻겠습니까?

*재계(齋戒) : 부정한 것을 피하여 몸과 마음을 정결하게 함.

바꿔 말해서 공자는 일하고 숨는
그 중간에 처하고자 하였다는
것인데

일→ 중용 ←숨음

즉, 공자는 어쩔 수 없을 때 숨는
것일 뿐 가능할 경우에는 일하고
싶은 사람인데 비해

일:1순위
숨음:2순위

장자는 그 순서가 바뀌었음을
알 수 있어.

숨음:1순위
일:2순위

그 업적을 낳으려다가 자기의 몸과 마음을 상하는 걸 피하고
일 중독에 걸려 나 일찍 가오!

우매한 왕이 많던 시절 자칫 죄를 입지 않으려는
모난 돌이 정을 맞는 법!

보신(保身)·보명(保命)의 방법이었던 것.
1등은 피곤해. 중간이 젤 편한겨.

그런 입장에서 볼 때 빛나는 업적을 향해 달려가는 사람들은 보통 사람보다는 낫지만 보다 높은 차원에서 보면 어리석은 사람들이지.
치국(治國)!
평천하(平天下)!
저 죽고 남 살리자는 바보들!

여기에서 장자의 독특한 사상이 등장해.
쓸모없는 것이 훨씬 더 좋은겨!

어느 때 장석(匠石)이라는 목수가 거대한 도토리나무 밑에 이르렀는데 무수한 구경꾼이 몰려 있었다.

그러나 장석은 본체만체 지나쳐 버렸다.
헹!

그러자 제자들이 의아해서 물었지.
천하 제일의 목수로서 어찌 저 큰 나무를 쳐다보지 않으십니까?

이렇듯 보통 사람의 사고 방식과 그것을
연장해 간 유가의 철학을 뒤집어 보는,

상식(보통 사람) → 상식의 심화(유가 철학)
⊃ 뒤집기(장자 철학)

덕을 길러 형체를 초월하라

덕충부(德充符)

보통의 덕은 남의 눈에 띄어 칭찬을 받지만 지극한 덕은 오히려 잘 드러나지 않는다. 그런 덕을 가진 사람은 비록 절름발이에 꼽추에 언청이에 혹까지 달고 있을지라도 뭇 사람들의 사랑을 얻게 되는 법이다.

'덕(德)'이란 '도(道)'를 닦은 사람이 갖추게 되는

내면의 힘이자, 그 힘이 남에게 끼쳐지는 이익이야.

그래서 도를 닦게 되는데

〈제물론〉에서 말했듯이 만물을 평등하게 보는 것이

덕을 닦는 요령이니, 요컨대 도인은 형체를 초월해서

사람과 사물을 보고 응접하게 돼.

그 점에서 '덕충부' 장은 '인간세' 장과 짝을 이루고 있는데

인간세 : 세상에서의 보신(保身)

덕충부 : 보신은 못했더라도 가능한 마음으로서의 초월

'덕충부' 장에는 여러 올자(兀者)가 등장하여 성인과 현자들을 꾸짖어.

공자는 자기 몸을 온전하게 보존하는 것이 처세와 보신의 요점이라고 말한 바 있어.

*몸은 부모로부터 받았으니, 감히 손상치 않도록 잘 지키는 것이 효도의 시작이다.

그러니 벌을 받아 얼굴에 먹물 글자가 새겨지거나(묵형, 墨刑)

발뒤꿈치를 잘려 올자가 된다는 것은 치욕 중의 치욕이었어.

그런데도 올자 왕태는 제자가 수천 명이나 되었어.

그래서 공자에게 제자가 물었어.

그러자 공자 왈

그는 생사에 마음이 흔들리지 않으니 하늘이 뒤집혀도 놀라지 않을 것이다.

그는 만물을 하나로 보아 이해득실을 따지지 않으니…

자신이 잃어버린 발뒤꿈치를 한 덩이 흙이 떨어져 나간 것처럼 여긴다.

그는 육신을 초월하여 천지를 육신으로 삼는 사람인 것이다.

물론 왕태는 장자가 창작한 인물인데
장자는 또 한 번 창작력을 발휘했어.
신도가(申徒嘉)도
올자였거든.

그가 정나라의 현자이자 재상인
자산(子産)과 함께
공자가 존경한
실제 인물!

백혼무인의 제자가 되어 배울 때

자산이 그를 푸대접하자 신도가가
말했어.
뒤꿈치도
없는 주제에…

사람들이 나를 비웃으면
나도 잠깐은 발끈하게
되지요. 그러나…

백혼무인 선생님 앞에만
가면 걱정과 분노가
눈 녹듯이 사라집니다.

선생님은 지난 19년 동안
나를 올자로 대하신
적이 없기 때문이지요.

바로
그것이
선생님의 덕!
그러나 지금 그대는
나의 겉모습을 보고
왈가왈부하니 부끄럽지
않소?
그만두오.
그만두오.
내가 잘못했소.

어느 때 숙산무지(叔山無趾)라는
올자가 공자를 찾아갔어.
딩동
'무지'는
발이 없다는 뜻!

그러자 공자가 그를 꾸짖었는데
삼갈 줄 몰라 죄를
짓다니, 부끄러운 줄
알아야지!

무지가 이렇게 되받았지.
내게는 발보다
더 소중한 것이
있습니다.

* 질 : 차꼬(발에 차는 형구). ** 곡 : 수갑.

또 다른 육체를 초월한 이야기.
노나라의 임금인 애공(哀公)이 공자에게 물었대.

위(衛)나라에 애태타(哀駘它)라는 추남이 있는데…

이상하게도 그에게는 많은 여자들이 따랐고
꺄악
오빠!

남자들도 그를 흠모하였지만 그가 특별히 지식이 많거나
흠
내세울 학력도 없고…

남에게 덕을 베푼 적도 없으니 이상한 일입니다.
선행을 쌓은 것도 아니고….
불우이웃 돕기

그래서 제가 그와 함께 있어 보았는데 미처 한 달이 못 되어

나 또한 그를 믿고 사모하게 되었습니다.
스승님!

공자가 말했어.
그는 완전한 덕을 갖춘 사람입니다.

그는 삶과 죽음, 가난과 부귀, 현명함과 어리석음, 비방과 칭찬,

이런 것들을 천명이자 우주의 변화로 자연스러이 받아들여…

마음의 평화를 어지럽히지 않아 늘 고요한 물처럼 유지하니…

덕이 없는 것처럼 보이는 덕, 그것이 진짜 덕입니다.

이어서 장자는 인기지리무신이라는 추남을 말하는데
나 절름발이에 꼽추에 언청이!

그는 위영공(衛靈公)의 사랑을 얻었다고 해.
보통 멋있다고 일컬어지는 사람의 목은 너무 길고 밉다.
이 사람의 몸이 표준이니…
모가지가 길어서 슬픈 짐승이여…

또한 목에 큰 혹이 달린 옹앙대영이라는 사내는 제환공의 특별한 은총을 받았다는 거야.
어쩜 그리 혹조차도 멋있을까?

이에 장자는 말했어.
덕이 높아지면 형체는 잊혀진다.

그런데도 세상 사람들은 덕 높일 생각은 하지 않는다.

그렇다면 덕은 어떻게 닦는가?

덕을 닦으려면 마땅히 정(情)을 없앨지니…
정을 초월!
情

좋아하고 싫어함으로써 몸을 해치지 말라.
그것이 바로 인위이니…
사랑
증오
기쁨

다만 무위자연에 일신을 맡길지라.

생사를 잊고 도와 하나가 되어라

대종사(大宗師)

공자는 "삶을 모르는데 죽음을 어찌 논하겠느냐?"고 말하였지만, 장자는 삶과 죽음의 초월을 지향한다. 그렇다면 어떻게 생사를 넘어갈 수 있을까. 장자는 모든 것을 잊는(忘) 것이 그 방법이라고 말한다.

따라서 장자는 유가적 가치에 의해 살신성인의 길을 간 사람들을 비웃었어.
호불해(狐不偕), 무광(務光), 백이(伯夷), 숙제(叔齊), 서여(胥餘) 등은 남을 위하다가 제 몸을 죽인 자들로…

삶을 제대로 즐기지 못하였다고 해야 한다.

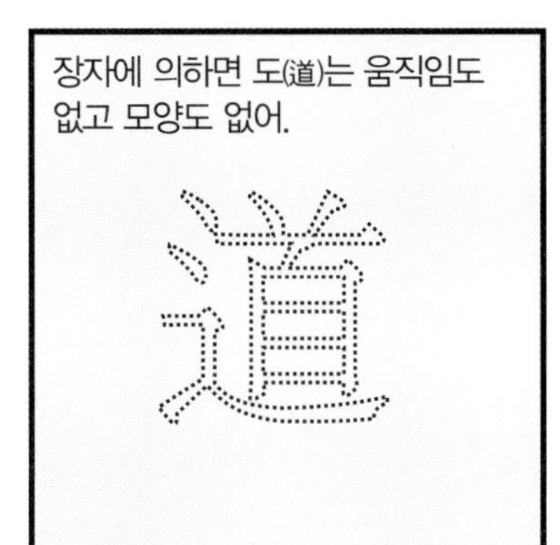
장자에 의하면 도(道)는 움직임도 없고 모양도 없어.
道

그것은 천지가 생겨나기 이전부터 있었고
기독교의 창조신과 비슷하지만…

그것이 하늘과 땅, 귀신과 제왕을 낳았지.
신은 인격체, 도는 비인격체.
道

그러면서도 오래된 것이 아니고, 큰 것이 아니니니…
씨!
도대체 뭐가 그리 어려워?

한마디로 말해 인간의 사유분별을 초월한 거야.
높되 높은 것이 아니고, 오래 되었으되 늙은 것이 아니니니…

장자에 의하면 옛 진인들은 모두 이 도를 체득했어.
시위씨는 이것을 얻어 천지를 바로잡았고

복희씨는 이것을 얻어 근원을 맡았으며

북두칠성과 일월(日月) 또한 이를 얻어 그침이 없고

팽조는 이를 얻어 800살을 살았다.
인생은 600부터!
육십부터가 아니고?

여우(女偊)가
남백자규(南伯子葵)에게 말했어.

복량의(伏梁倚)는 성인의 자질을
갖춘 사람으로서 내 제자가 되었소.

그를 가르친 지 사흘 만에 그는
천하를 잊어버렸고

다시 이레 만에 만물을
잊어버렸소.

다시 아흐레가 되자 그는 삶을
잊게 되었는데

이런 경지에 이르면 마음이
아침 공기처럼 맑아지고

모든 것이 '하나' 로 보이며…
多 → 一
많을 다
한 일

고금(古今)의 한계가 없어지고
古今

죽지도 않고, 살지도 않는
경지에 도달하게 된다오.
그놈
좀비네!
퍽!

자사(子祀), 자여(子輿), 자려(子犁),
자래(子來)는 노나라의 현자들인데

그들이 모여 말했어.
누가 능히 무(無)를
머리로, 생(生)을 등뼈로,
사(死)를 꽁무니로
여길 수 있으리?
하하하

그러고 나서 얼마 뒤에 자여가 앓아 누웠어.
나 척수암 4기.

그래서 자사가 찾아갔더니 자여가 말했지.
내 등덜미는 꼬부라지고, 창자는 밖으로 나오고…

턱은 배꼽 속에 처박히고, 어깨는 정수리보다 높으니 나는 곱사요.

자네는 지금 병든 것을 미워하는가?

나는 나 자신을 운명에 맡겼소. 내가 왜 이 병을 미워하겠소?

얼마 뒤에는 자래가 병들어 눕자 그를 찾아갔는데
중환자실

죽음을 앞둔 자래가 말했어.
여기 훌륭한 대장장이가 쇠를 녹이는데…

쇠가 펄펄 뛰면서 나는 꼭 명검(名劍)이 되겠다고 한다면…
나 명검 할래!

대장장이는 그를 상서롭지 못한 일로 여기지 않겠는가?
이걸 그냥!

이제 천지는 하나의 용광로요, 조물주는 훌륭한 대장장이이며 나는 쇳덩어리이니

내가 장차 어찌 되든 난 개의치 않네.

자상호(子桑戶), 맹자반(孟子反), 자금장(子琴張)이 모여 말했어.

누가 능히 친하지 않으면서 친하고, 위하지 않으면서 위할 수 있으리?
하늘 높이 안개 위에 노닐고, 삶을 잊어 무극(無極)의 경지에 이를까?
껄껄껄

그러다가 자상호가 죽자 공자가 제자인 자공을 보냈는데
가서 장례를 보아 주거라.

놀랍게도 맹자반과 자금장은 노래를 부르고 있었지.
아, 상호여, 그대는 참된 데로 돌아갔는데, 우리는 아직 남아 있구나!

자공이 돌아와 그 일을 공자에게 고하자
그들은 친구의 죽음 앞에서도 얼굴빛이 변하지 않았습니다.

공자가 말했어.
그들은 세상 밖에 노니는 이요, 나는 세상 안에 노니는 사람이다.
그렇다면 선생님께서는 왜 그들을 본받지 않으십니까?

이에 공자가 탄식하며
나는 하늘로부터 형벌을 받은 사람이다.

그러고는 덧붙여 말했어.
나는 너희와 함께 내가 믿는 길,
즉, 사람들끼리 부딪치는 길로 가겠다.

장자 당시 중국 역사상 최고의
현자로 알려져 있던 공자.
공 선생님!
중니(仲尼)!

장자는 공자가 대중의 존경을
받고 있음을 알아
성인!

한편으로는 그를 인용하여 자신의
주장에 권위를 더하고
그 유명한
양반이 그랬대.

다른 한편으로는 유가 학파의
한계를 지적했어.
근데 좀더 따져 보면
말이지….

《논어》에 의하면 공자는 어느 때
장저(長沮)와 걸닉(桀溺)이라는
은자를
만났는데
난세를 바로잡으러
다닌다고?

그들이 공자의 노력을 헛된
짓이라며 비웃자
쯧쯧..
공씨는
뭘 몰러.

공자는 이렇게 대꾸했어.
그러나 나는 사람이다.
새와 짐승이 아니다.

세상에 바른 도가
행해진다면 나도
저들처럼 살겠거니와…

이런 무도한 세상에
내가 사람과 함께하지
않는다면 누구와 살겠는가?

그런데 이에 대해 장자는
공자가 세속 차원에 머물러
있도록 천형을 받은 것으로
치고
공자, 위대하지만
세속 차원에서만
위대!

장저와 걸닉 편을 들되, 그들보다
훨씬 높은 경지를 제시하기
위해 이런 이야기를 지어 낸
것이라 할 수 있어.
예의와 생사를 벗어난
차원이 내가 추구하는
위대한 경지.

그러면서도 장자는 자신이
제안하는 경지의 현세적 구현자로
공씨는 공부가
조금 부족!

공자와 그의 수제자 안회를 예화의
주인공으로 삼았는데
그래도 예화의
주인공으론
으뜸!

그것이 유명한 좌망(坐忘) 이야기야.
후에 선(禪) 사상에
심대한 영향을 끼친
이야기지.

어느 때 안회가 공자를 뵙고 말했어.
저는 요즘
공부가 조금
늘었습니다.

겸손한 네가
그 무슨
자만심이냐?

저는 선생님께서 그토록
강조하시는 인의(仁義)를
잊게 되었습니다.

이에 공자가 가볍게 응수했지.
그래, 됐다. 그러나
아직 멀었구나.

그러고 나서 다시 얼마 뒤 안회가
공자에게 고했어.
저는 이제
예악(禮樂)을 잊게
되었습니다.

좀 낫구나.
그러나 아직도 더
나아가야 한다.

또 다시 얼마 뒤 안회가 공자를 찾아갔어.
저는 이제 모든 것을
다 잊게(坐忘:좌망)
되었습니다.
엥!

좌망이라니?
대체 그 경지는
어떤 것이냐?

이에 안회가 대답했어.
손발과 몸, 귀와 눈 등 형체를 떠나고 앎을 버려서, 저 지극한 도와 하나가 되는 것….
그것이 곧 좌망입니다.

공자가 탄식했어.
도와 하나가 되면 변하여 막힘이 없을지니….

어질구나 회여! 이제는 내가 네 제자가 되어야겠구나!

이 좌망 사상은 훗날 불교와 결합하여 선(禪)이 탄생하는 데 결정적 기여를 하였는데
장자와 달마의 자식이라….
네 이름이 뭐니?
선(禪)!

따라서 선은 인도의 씨앗과 중국의 토양이 결합한 것으로 이해돼.

선은 앉아서 수행하기 때문에 좌선(坐禪)이라고도 불리지.
坐禪
(좌선)
坐忘
(좌망)

또한 선가(禪家)는 드높은 기상을 숭상한다는 점에서도 장자와 통하는, 중국적 불교 사상이라고 할 수 있지.
大死一番
(대사일번)
크게 한 번 죽어라!
우리 함께 생사를 넘어가세그려!

천하는 소박함으로 다스려야 한다

응제왕(應帝王)

앞 장 '대종사' 편에서 지극한 도를 갖춘 사람을 말했는데, 그 도인이 천하를 다스린다면 어떻게 될까. 장자는 '응제왕' 편에서 요순보다도 더 높은 덕으로써 무위자연하게 천하를 다스리는 이야기를 전개하는데…….

*심여명경: 마음은 밝은 거울과 같다.

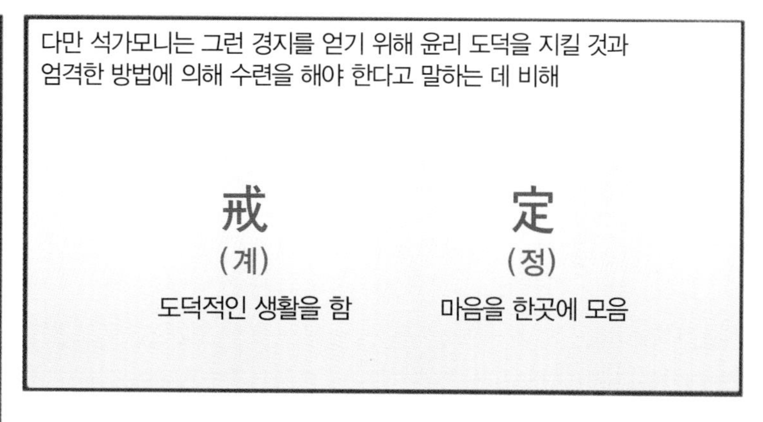

혼돈은 미개한 정신 상태를 의미하기도 하지만

混 흐릴 혼, 섞일 혼
沌 어두울 돈

문명의 발전은 또한
우환(憂患)의 발전!
즉, 정신이 활동하여 시비선악을 분별하기 전의 그 상태야말로 지인의 경지라고 주장했어.
문명보다 소박한 게 좋은겨!
돈 걱정!
교육 걱정!
이런 걱정!
저런 걱정!

그래서 유명한 이야기 하나.
그런지 안 그런지 내 이야길 들어 봐.

남해의 숙(儵), 북해의 홀(忽) 등 두 신이

중앙의 신인 혼돈의 땅에서 서로 만났는데
외모가 좀 심플하지?
나 혼돈 신!

혼돈이 그들을 융숭하게 대접했어.

그래서 두 신이 의논했지.
우리도 보답을 합시다.

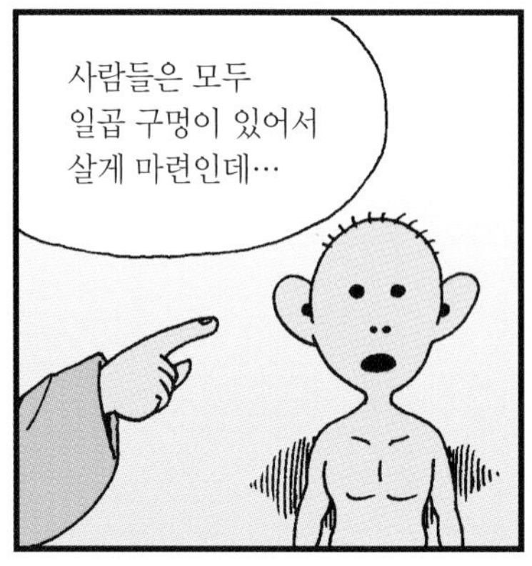
사람들은 모두 일곱 구멍이 있어서 살게 마련인데…

저 혼돈씨만은 아무 구멍이 없으니 우리가 뚫어 줍시다.
윙

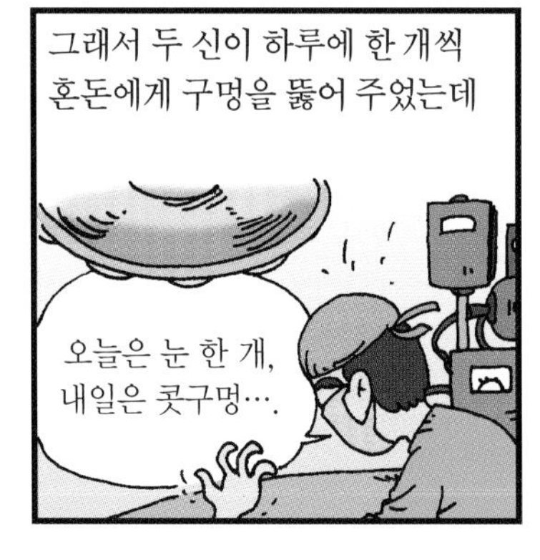
그래서 두 신이 하루에 한 개씩 혼돈에게 구멍을 뚫어 주었는데
오늘은 눈 한 개, 내일은 콧구멍….

수술 끝!
이제야 세상이 제대로 보이겠지?
휴

그렇게 이레째 되는 날 혼돈은 그만 죽어 버렸대.
돌려도!
혼돈을 혼돈인 채로 놓아 두지 못하고!

이에서 보듯 장자는 인지(人智)와 유위를 호되게 비판해.
명예의 표적이 되지 말고, 꾀의 창고가 되지 말며, 일의 책임자가 되지 말고, 지혜의 주인공이 되지 말라.
자랑하지 마라. 텅 비어 있어라.

장자는 그런 경지에 이른 인물 하나를 소개했어.
진짜로 그런 사람이 있었다니께.

정나라에 계함(季咸)이라는 신통한 무당이 있었어.
占

그는 사람의 생사존망과 길흉화복을 귀신같이 맞혔는데
3월 27일 오후 11시 59분 27초 37F에 죽겠소.

호자(壺子)의 제자인 열자(列子)가
화!

계함을 보고 마음을 빼앗겼어.
지금까지는 호 선생님이 제일인 줄 알았는데!

그래서 호자에게 계함 이야기를 했어.
그래? 그럼 그 무당을 내게 데려와 보거라.

계함이 와서 호자를 관찰했어.
언제 죽을지 좀 볼까?

그러고선 물러나와 열자에게 말했어.
당신 선생은 살 날이 딱 열흘 남았소.

그러나 그 말을 전해 들은 호자.

그래서 다시 호자를 살펴보고 나서 계함은 말을 바꾸었어.

이에 호자가 열자에게 말했어.

세 번째 날 계함은 호자를 보고 나서 말했지.

그리고 네 번째 날 계함은 호자를 보자마자 혼비백산하여

뒤도 안 돌아보고 달아났어.

열자가 뒤쫓아갔으나 잡을 수가 없었지.

이에 호자가 열자에게 말했어.

미시출오종이*란 경지였다.

* 미시출오종(未始出吾宗): 음양이 생기기 이전 태초의 경지.

풀이 바람에 쓰러지듯

물결이 제 스스로 흐르듯 하였는데

그래서 그가 놀라
도망친 것이다.

이에 열자는 크게 부끄러워하며
무당 따위에게
혹하다니!

집에 돌아와 삼 년 동안
칩거하면서 도를 닦았고
귀와 눈을 닫자.

마침내 소박함으로 되돌아가
일생을 마쳤어.
모든 분별을
쉬자.

이처럼 소박함과 자연스러움을 예찬한
장자.

그는 그런 덕을 갖춘 사람이
임금이 되어야 하며
순 임금은 인(仁)을
갖추었지만…

그런 임금은 굳이 애쓰지 않아도
…시비…
그래도 시비(是非)를
벗어나지 못하였다.

천하를 이상적으로 다스리게 된다고
했어.
그에 비해
태씨(泰氏)는…

잠잘 때는 고요하고, 깨었을 때는
덤덤하며

남이 자기를 말이라고 부르면
말이라고 여기고
당신은
망아지야.
히~힝

남이 자기를 소라고 부르면
소라고 생각하였다.
헤이~
프랜드!
음~메

그런 사람만이 요순보다 차원 높은
제왕인 것이다.

한편 《논어》에도 나오는
광접여(狂接輿)는 장자의
시각에서 볼 때

이름 속에 '미치다(狂)'는 말이
들어가 있지만
우(愚)에 우와
대우(大愚)가
있듯이…
大愚
愚

광(狂)에도 높은
차원의 광이
있나니….
나는 배트맨
이다!

지인(至人)·진인(眞人)의 경지에
이른 사람이야.
《논어》에 의하면
접여는 공자의
수레 곁에
다가와….

아아, 봉황새야!
그만두거라!
그만두거라!
훠이~

그런데 장자는 이 이야기를 끌어와 접여의 말을 풍부하게 덧붙여 소개했어.
오는 세상은 기다릴 수 없고,
가는 세월은 따를 수 없네.
위태롭구나! 위태롭구나!

산은 나무 때문에 훼손되고,
기름은 불을 켤 수 있기에
태워지는 법!

그만두거라! 그만두거라!
덕으로써 남을 향해 나아가는 짓을!

사람들은 쓸모 있는 것을
쓸 줄만 알았지, 쓸모없는 것을
쓸 줄 모르네.

어느 때 견오(肩吾)가 접여에게 일중시(日中始) 이야기를 전했어.
그가 "남의 임금 된 자는 법(法)과 의(義)로써 다스려야 한다."고 하였습니다.

이에 접여가 말하기를
그것은 거짓된 덕이다.

그처럼 밖에서부터 천하를 다스릴 것이 아니라…
본성을 따라 교화를 베푸는 것이 옳다.

저 새를 보라. 가르쳐 주지 않아도 화살을 피해 높이 날고…

저 생쥐를 보라. 배우지 않고도 굴을 파서 화를 피하지 않느냐?

같은 의미에서 노담(老聃:노자)도 양자거(陽子居)에게 이렇게 말했지.
명왕(明王)의 다스림은, 공적이 천하를 덮고도 그것을 자기에게서 나오지 않은 양 하는 것이다.
에이~ 내가 뭘…

그 때문에 그런 다스림은 무어라 이름 붙일 수 없으면서도…

모든 사물로 하여금 제 스스로 기쁘게 하느니라.
오우, 노자님!
역시 우리 선생님이셔!

중국 역사는 세 시기로 나뉜다

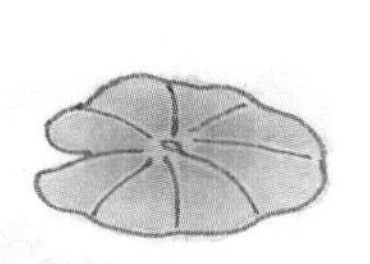

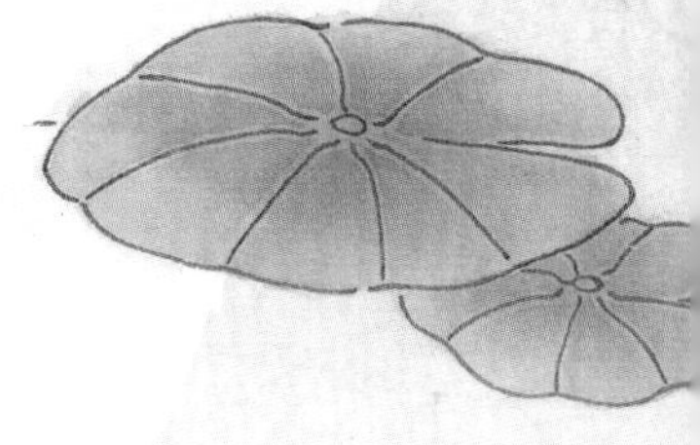

(1) 선진(先秦) 봉건 왕조 시대

중국의 역사는 삼황오제(三皇五帝)의 신화 시대로부터 시작되는데, 삼황은 전설적인 세 임금을, 오제는 훌륭한 덕을 지녔던 다섯 임금을 가리켜요. 이들 삼황오제는 자기 아들에게 왕위를 물려주지 않고 덕이 높은 신하에게 왕위를 물려주는 이른바 선양(禪讓)의 전통을 이어갔어요. 그러다가 오제의 마지막 임금인 우왕(禹王)에 이르러 선양의 전통이 깨지고 아들 또는 아우에게 왕위를 물려주는 세습 왕조가 시작됐어요.

우왕에 의해 창시된 중국 첫 왕조의 이름은 하(夏)예요. 하 왕조는 약 7백 년간 이어진 다음 탕왕(湯王)에 의해 창건된 은(殷, 일명 상(商)) 왕조에 의해 멸망했고, 은 왕조는 약 5백 년간 이어진 다음 무왕(武王)에 의해 창건된 주(周) 왕조에 의해 멸망했어요. 주 왕조의 마지막 시기는 이른바 춘추전국 시대라고 불리는 혼란의 시기였어요. 이때 등장하여 춘추전국 시대를 포함하여 약 8백 년간 지속되어 오던 주 왕조 체제를 무너뜨리고 중국을 하나로 통일한 사람이 유명한 진시황(秦始皇)이에요.

이상 삼황오제로부터 하 · 은 · 주 삼대(三代)의 시기, 즉 진시황에 의해 중국이 통일된 BC. 221년까지를 선진 시대(진시황 이전의 시대)라고 해요.

(2) 군현제(郡縣制) 왕조 시대

선진 시대에는 교통 · 통신이 발달되어 있지 않았기 때문에 왕이 중국 전토를 실질적으로 장악할 수 없었어요. 이 때문에 왕은 중국 전토를 여러 지역으로 나눈 다음 각 지역마다 제후를 책봉하여 그에게 권력을 위임했어요. 그때 제후로 책봉된 사람들은 대부분이 왕의 친척들이었지만 새 왕조를 창건할 때 공을 세운 신하들도 제후로 책봉된 사례가 꽤 있어요.

제후들 간에는 공 · 후 · 백 · 자 · 남(公侯伯子男) 등 다섯 등급이 있었어요. 그 등급에 따라 제후에게 주어진 땅의 크기가 달랐는데, 어쨌거나 그들 제후는 자기에게 땅을 떼어 준 종주국 왕에게 공물을 바치는 등 신하로서의 예를 표하는 것을 전제로 자신의 관할 권역에서 입법 · 사법 · 행정 상의 모든 권력을 행사했을 뿐아니라 자신의 아들(형제)에게 제후의 자리를 물려줄 수 있었어요.

이처럼 지방의 영주(제후)에게 땅을 주어 간접적으로 나라를 통치하는 제도를 봉건제(封建制)라고 하는데, 봉건제 왕조 시기의 중국은 진정한 의미에서 하나로 통일되어 있었다고 볼 수 없어요. 종주국의 왕이 힘센 제후에 비해 특별히 더 넓은 땅을 가진 것도 아니었고, 백성이나 식량이나 군대가 특별히 많거나 강한 것도 아니었기 때문에 힘센 제후가 말을 듣지 않으면 어떻게 할 도리가 없었던 거예요.

당시의 왕이 제후들을 통제할 수 있는 힘은 그가 하늘로부터 부여받았다고 믿어지는 천명(天命), 즉 명분(名分)으로부터 나왔어요. 그게 무슨 힘이 되겠느냐고 생각될지 몰라도 옛날 사람들은 천명을 매우 중요하게 생각했기 때문에 제후와 모든 백성들이 종주국 왕인 천자(天子, 하늘의 아들, 즉 천명을 받은 사람이라는 뜻이에요)의 뜻을 나름대로 잘 받들었어요. 그러나 처음 왕조를 창건한 종주국의 왕은 하늘의 명을 받았다고 믿어질 만큼 덕이 높고 능력도 뛰어났지만, 그가 죽은 다음 천자가 된 왕들까지 반드시 그러라는 법이 없었지요. 그러다보니 천자의 명에 복종하지 않는 제후들이 등장하기 시작했어요.

주 왕조의 경우, 처음 책봉된 제후의 수는 거의 일천 명이나 되었어요. 그렇지만 시간이 흐르는 동안 제후국들 간에 분쟁이 일어나 힘센 제후국이 힘이 약한 제후국을 병탄(倂呑, 자신의 것으로 빼앗아 합침)하는 일이 자주 발생하게 되어 제후국의 수는 점점 줄

어들었어요.

이같은 사정을 맞아 종주국의 왕은 이를 잘 관리해야 했지만 명분의 힘만으로 그것이 관리되기는 어려웠어요. 그러다보니 시간이 지날수록 종주국 왕의 권위는 추락하게 되었고, 마침내 제후들은 드러내 놓고 힘겨루기를 하게 되어 춘추 시대(BC. 770~453)에 이르러 제후국의 수는 열두 개가 되었는데 이를 춘추십이국(春秋十二國)이라고 해요.

이 춘추십이국이 전국시대(BC. 453~221)에 이르면 일곱으로 줄어들어요. 전국 시대가 춘추 시대와 다른 점은 춘추 시대에는 강력한 힘을 가진 제후라고 해도 나름대로 종주국 천자에 대한 예를 지키는 전통이 유지되었지만 전국 시대에는 모든 제후들이 자신도 왕이라고 주장하며 종주국을 완전히 무시했다는 데 있어요.

이같은 혼란 상황에서 전국 시대의 일곱 나라 중 하나인 진(秦)나라의 왕이었던 정(政)이 이웃나라를 하나하나 합병하여 마침내 전국을 통일했어요. 그리고 그는 자신이 중국을 첫 번째로 통일한 사람이라는 의미로 시황제(始皇帝)라고 자칭했어요. 이로써 중국 처음으로 왕보다 더 높은 통치자를 의미하는 황제라는 말이 생기게 되었는데, 이 말은 고대의 삼황오제에서 따온 거예요.

시황제는 진시황(秦始皇)이라고도 불리는데, 실제로 그는 중국을 처음으로 통일한 사람이었다고 볼 수 있어요. 그 이전까지의 모든 왕조는 제후를 책봉하여 중국 전토를 간접적으로 지배했지만 그는 중국 전토를 군(郡)과 현(縣)으로 개편한 다음 군현을 지배하는 관리를 자기 스스로 임명하고 해임하는 방식으로 직접 지배했기 때문이에요. 이같은 군현제 통치 방식은 진시황 이후 2천 년이 넘도록 지속되었어요.

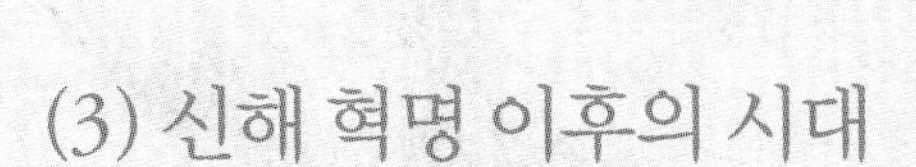

(3) 신해 혁명 이후의 시대

앞에서는 봉건제 왕조와 군현제 왕조를 구별했지만, 크게 보면 군현제 왕조 또한 봉건제 왕조라고 보아도 좋아요. 간접적으로 통치하느냐, 직접적으로 통치하느냐의 차이가 있을 뿐 그 두 통치 제도는 황제(왕)를 정점으로 귀족 계급이 나라를 다스리고 백성은 그에 복종만 해야 하는 제도였어요.

그런 점에서 중국의 역사는 1911년에 있었던 신해혁명(辛亥革命)을 기해 결정적으로 바뀌었다고 보아야 해요. 신해혁명은 쑨원(孫文)이 주축이 되어 청(淸) 왕조를 무너뜨린 사건이에요. 이때부터 되어 중국은 황제와 귀족 계급이 다스리는 나라가 아닌, 국민 모두가 주권을 가진 나라가 되었어요.

〈내편〉의 '제물론'과 마찬가지로

〈외편〉의 처음 네 장에서 장자는

변무(騈拇)
마제(馬蹄)
거협(胠篋)
재유(在宥)

노자 사상을 자기 나름대로 밝히는데

인간의 타고난 본성에 따르는 것을 무위자연이라고 하고

無爲(무위)

自然(자연)

유가의 인의도덕을 유위이자 억지로 보는 장자는

有爲(유위)
仁義道德(인의도덕)

그것이 여섯 번째 손가락, 즉 쓸데없는 군더더기라고 비웃었어.

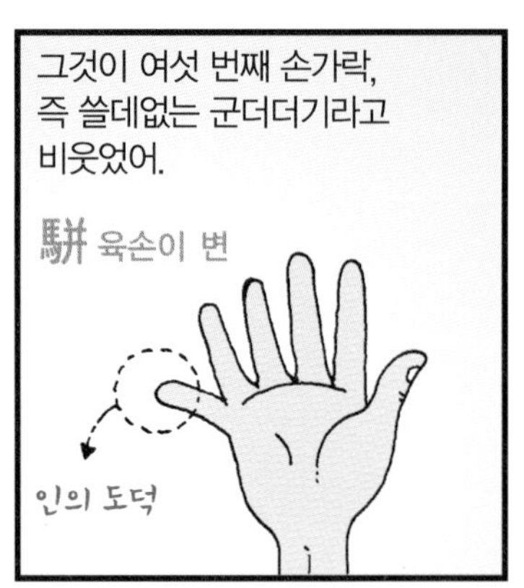

장자는 말했어.

쿵쿵
그 또한 오장(五臟)을 괴롭혀 쥐어짜 낸 지혜라 하겠지만…

사람의 소박한 본성 위에 덧붙여진 쓸데없는 총명의 산물이다.
그럼 공자 · 맹자님은 육손이 사상가?

나아가 장자는 유가뿐 아니라 저명한 음악가 · 미술가와 양주(楊朱) · 묵적(墨翟)까지 비판했어.
이주(離朱)는 청황의 색깔로써 눈을 어지럽히고, 사광(師曠)은 육률(六律)로써 소리를 어지럽히며, 증삼(曾參)은 인(仁)으로써 천하를 미혹하고, 양주와 묵적은 온갖 궤변으로써 칭찬을 얻으니 이들은 모두 안 해도 될 짓을 한 것이다.
쓸데없이….

그렇다면 어떻게 하는 것이 천하의 바른 길일까?
믿술 쫙~~
내가 노자 선생님께 배운 것을 다시 일러주지.

천하의 지극히 바른 길은…

마음의 천연스런 본바탕을 잃지 않는 것이 중요하니

발가락이 네 개뿐이어도 싫어하지 않고
네 개면, 어때!
쪽

여섯 번째 손가락도 싫어하지 않아서
여섯 개면 법에 저촉 되냐?

길어도 남는다고 여기지 않고,
짧아도 모자란다고 여기지
않는다.

오리 다리가 비록 짧아도
늘여 주면 싫어하고
으악
어찌
하오리!
하 오리?

학의 다리가 길지만 끊어 주면
슬퍼하지 않겠는가?
동물 병원에
연락해 볼까?
무슨 좋은
방법이 없는지.
흑흑!
나 이제
어떡해?

여기서 이야기 하나.
사내 종과 계집 종이
염소를 치다가 잃게 되자
서로 물었다.
왜 잃어버렸어?
너는 왜
잃어버렸니?

사내 종이 말하길
책을 읽다가
그만….

계집 종도 말하길
노름을 하다가
그만….
못먹어도
고!

이에 장자는 말해.
그들이 무엇을 하다가
염소를 잃었든 결과는
마찬가지이니…
실종신고

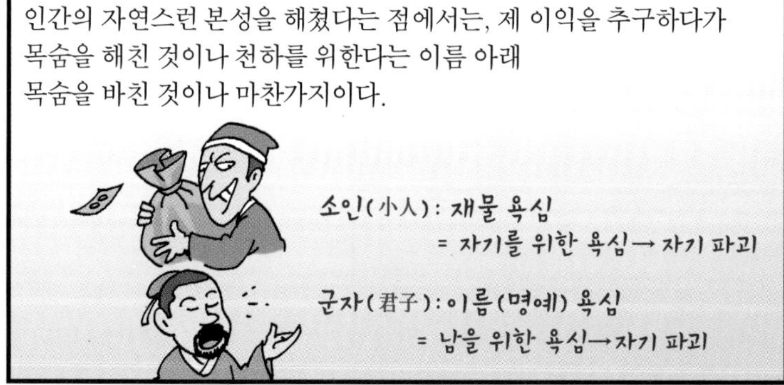
인간의 자연스런 본성을 해쳤다는 점에서는, 제 이익을 추구하다가
목숨을 해친 것이나 천하를 위한다는 이름 아래
목숨을 바친 것이나 마찬가지이다.
소인(小人) : 재물 욕심
= 자기를 위한 욕심→자기 파괴
군자(君子) : 이름(명예) 욕심
= 남을 위한 욕심→자기 파괴

그래서 장자는 말했어.
백이(伯夷)는 이름을 얻고자 수양산 밑에서 죽고…
도척(盜跖)은 이익을 얻자고 등롱산 밑에서 죽었다.

이에 대해 사람들은 백이의 충성심을 칭찬하고 도척의 도둑질을 비난하지만
백이 짱!
도척 XX!

제 목숨을 중도에서 해친 점은 마찬가지인데 굳이 군자와 소인을 가려서 무엇하리!
백이 묘
도척 묘

그리하여 나는 감히 내가 참된 도덕에 아직 이르지 못함을 부끄러워하노니

내, 위로는 인의의 길을 굳이 가지도 않으려니와…
아래로는 바깥 사물에 본성을 빼앗기지도 않으리!

이어서 '마제' 편에서 장자는 다시 말해.
백락(伯樂)은 말을 잘 다루는 명인이다.

그런데 그가 나타나 말의 털을 그을리고, 깎고
윙

여러 마리의 말을 한 줄로 묶으니 죽은 놈이 수두룩하였다.

인의로써 천하를 다스리는 것 또한 이런 것이다.

말이 들판에 있을 때는 풀 뜯고 물 마시고 친하고 성내는 데서
지혜가 그쳤다. 그런데 백락이 나타남으로써 곁눈으로 엿보고,
고삐를 물어뜯는 덧붙이-지혜가 생겨났으니,
상고에 혁서씨(赫胥氏) 때 백성이 밥 먹고
배 두드리며 놀았는데,
성인이 나타나
예악으로 손발을 묶어 버리니,
이것이 성인의 허물이다.

장자의 유가적 성인에 대한 비판은
'거협' 편에서도 계속되지.
세상의
지혜란…

도둑을 막기 위해 상자에
자물쇠를 다는 정도인데

그것은 작은 도둑에 대한
방비일 뿐
찡찡

큰 도둑은 그 상자를 통째로
들고 달아나니
통째로!

성인들 또한 큰 도둑을 위해
자물쇠를 다는 격이다.
성인은 나라를
지키는 도리를
말하지만…

나는 그 나라를
훔치지 뭐!

쇠 갈고리를 훔친 자는 목을
베이지만, 나라를 훔친 자는
제후가 된다.

그런 제후에게 인의가 있다면,
그것은 곧 인의가
도둑질이 아닌가?

그리하여 '재유'편에서
장자는 다시 말했어.
인의로써 사람의 마음을
어지럽힌 첫 시조는
삼황오제(三皇五帝)였다.

그것이 하·은·주 3대에 더 어지러워졌다.
하우왕(夏禹王)
은탕왕(殷湯王)
주문왕(周文王)

유가와 묵가가 나와 서로 다투며
지혜로써 서로 속이게 되었다.
내가 옳다!
네가
틀렸다!

그러면서 장자는 또다시 삼황의
한 사람인 황제가
다스림의 핵심에
대해 한말씀을….

도인에게 한 수 배운 이야기.
보지 말고,
듣지 말라. 바깥을
닫고, 안을 고요히
지켜라.

장자는 결론적으로 말했어.
무위(無爲)에 살면
만물은 저절로
다스려진다.

지극히 뛰어난 사람의 가르침은
그림자가 형체를 따르는 것과 같고…

메아리가 소리를 따르는 것과 같은 법!
야호
…야…호…
…야…호…

이런 사람만이
만물과 하나가 되어
자기를 없앰으로써
최고의 무(無)에
도달하는 것이다.
無

잃어버린 '현주'는 도가적 가치

玄 가믈가믈할 (검은, 신비한, 아득한)현

珠 구슬 주

다른 이야기 하나.
요(堯)의 스승은 허유(許由), 허유의 스승은 설결(齧缺), 설결의 스승은 왕예(王倪), 왕예의 스승은 피의(被衣)이다.
이렇게 말해야 신비롭게 들리거든.

요 임금이 허유에게 물었어.
저 설결 같은 분이면 하늘과 짝할 수 있을까요?

왕예 선생께 청해서 제가 그분께 임금자리를 내드릴까 합니다만.

안 되지, 안 돼. 그는 너무나 지혜롭고 총명하니까.

대개 지혜와 총명은 억지 쪽으로 흘러 하늘과 짝할 수 없는 법이라오.

또 다른 이야기는 역사 책에도 나오는 거야.
요 임금이 화(華) 땅에 갔을 때….

그곳 경계를 지키던 자가 말했어.
임금님, 복도 많이 받고, 수(壽)도 많이 받으십시오.

그러자 요 임금이 말하기를
사양하노라. 난 복이 싫어.

그러면 부(富)를 많이 받으소서. 아들도 많이 낳으시고요.

그것도 사양하노라.

수와 부와 다남(多男)은 누구나가 원하는데…
왜 임금님만은 그것을 사양하시는지요?

오래 살면 욕되고,
부자는 번거롭고, 자식이
많으면 걱정이 그치지
않기 때문이다.

당신이 성인인 줄
알았는데…
하하하

이제 보니 그저
군자의 수준이로군
그래!

가진 게 많으면 나누어 주고,
아들이 많으면 소질에 따라 키우면 되고

오래 살게 되면 메추리처럼, 새새끼처럼
일정한 곳도 없고 굳이 배부르기를 바라지 않으면서

새가 허공을 날 듯 자취를
나타내지 않으면 될 것이니…
그 비유,
내가 먼저 했는데?

그러다가 천 년이 지나 세상이
싫어지면
날아다니는
것도 지겨워.

홀연히 신선이 되어 하늘나라로
가면 그뿐이 아니겠소?
변신
뿅

이에 요 임금이 깜짝 놀라
부탁했어.
한마디 꼭 묻고
싶습니다.

그러나 그는 일언지하에 거절했대.
됐거든!
흥

이어서 장자는 말했어.
태초에 무(無)가 있었느니라. 무는 있었으되 이름이 없었나니, 이것이 하나(一)의 근본이었느니라. 그런 뒤에 하나가 있게 되었으되 아직 형상은 없었고, 이 하나를 얻어 만물이 생겨났으니, 이름하여 덕(德)이라 하느니라. 그 하나로부터 음양(陰陽)이 나뉘었으되 둘은 떨어지지 않으니….
어째 성경 책의 첫머리 같아!
태초에 말씀이 있었느니라.
BIBLE

이어서 장자가 풀어서 이야기했지.
태초와 하나가 되면 허(虛)요, 허는 곧 대(大)니…

그에 이르면 무심해지고, 무심하면 천지와 합해지며

그 합은 자취가 없어 어둡고 어리석으니

이것을 일러 현덕(玄德)이라 하며…

그리하여 마침내 자연과 하나가 되느니라.

그러고선 문명의 발전을 비웃는 이야기 하나.
공자의 제자 자공은 재주가 많은 사람인데…

그가 한수(漢水)에서 밭일을 하는 노인을 보았어.

그 노인은 동이에 물을 담아 밭에 물을 대고 있었는데
아니, 저런 비능률!

이를 보고 자공이 참견했어.
어르신, 한꺼번에 100이랑의 물을 댈 수 있는 기계가 있소.

뒤는 무겁게 하고, 앞은 가볍게 해서, 물을 자아올리는 아주 편리한 기계지요.
콸콸

어떻소? 그 기계를 갖고 싶지 않소?

노인은 쓴웃음을 지었어.
나는 스승에게 들었네.
헹

기계를 쓰게 되면 마음에 틈이 생기고

마음에 틈이 생기면 순수함이 없어지며

마음에 순수함이 없어지면 정신이 편안치 못하게 되고
부글 부글

정신이 편안치 못하면 도에 고요히 안주할 수 없다고.

여보시게, 젊은이. 나는 기계를 몰라서가 아니라…

다만 부끄러워서 쓰지 않는 것뿐일세.
그런데 남의 일에 참견하는 그대는 대체 누군가?

그래서 자공이 공자의 제자임을 고백했는데
저는 공자 아카데미의…
아
아, 그 친구!

많이 아는 것으로써 자신을 성인에 비기고, 인의를 말하여 사람을 억누르며, 거문고를 타며 슬픈 노래를 불러 천하에 이름을 파는 그 사내?
저… 저….

이에 자공은 잠시 정신을 잃었다가 30리를 가서야 제정신을 차렸는데.
비틀

자공의 제자들이 물었어.
그 노인이 누구기에 이리도 당황하십니까?

지금까지 나는 공자님만 알았지, 저런 사람은 알지 못하였다.

이로써 볼 때 장자는 앞으로 흘러가는 문명의 흐름을 거스르고자 하였지만
지금보다 역시 옛날이 좋았어!
문명보다 원시가 낫지!
?

그러나 글을 쓰고 논변을 펼치는 것 자체가 문명과 기술의 소산이고 보면
문명이 없었다면 당신의 글과 사상을 남기는 일도 불가능했을 터!
!

문명을 비판하는 《장자》라는 책 자체가 또 하나의 문명.
내가 모순에 빠졌나?

그 점에서 문화·문명의 적극적인 옹호자이자 선양자였던 공자의 전통이 중국을 이끌어 온 것은 당연한 일이라 할 수 있을 거야.
하늘이 내게 문화를 주셨도다!
인간은 문화다! 문화가 곧 인간이다.

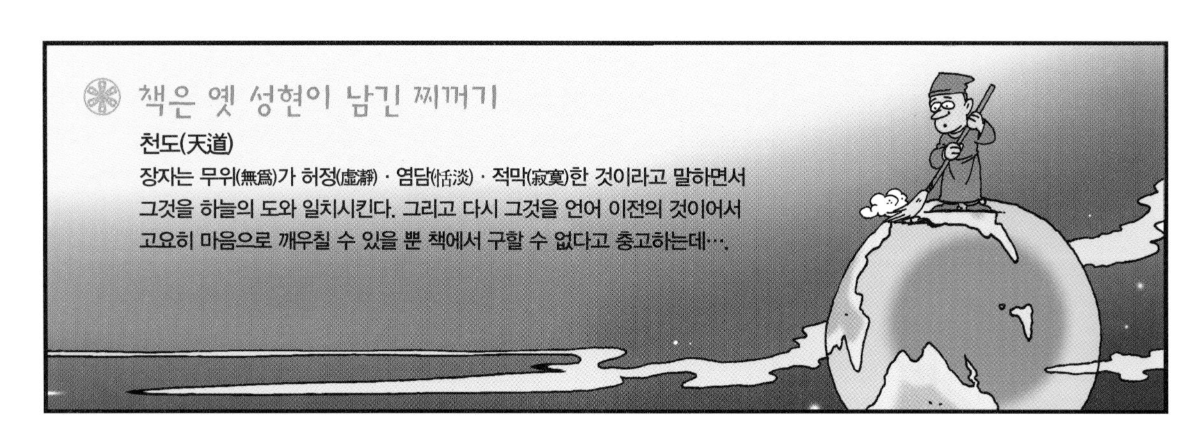
책은 옛 성현이 남긴 찌꺼기
천도(天道)
장자는 무위(無爲)가 허정(虛靜) · 염담(恬淡) · 적막(寂寞)한 것이라고 말하면서
그것을 하늘의 도와 일치시킨다. 그리고 다시 그것을 언어 이전의 것이어서
고요히 마음으로 깨우칠 수 있을 뿐 책에서 구할 수 없다고 충고하는데….

장자는 말했어.
하늘의 도(天道)로써 만물이 이루어지고…

제왕의 도로써
천하가 귀복하고

성인의 도로써
모든 이들이 복종한다.

天道
대개 허정(虛靜) · 염담(恬淡) · 적막(寂寞) · 무위(無爲)는 천지의 도요, 도덕의 본바탕이다.
그러므로 성인과 제왕은 거기에 편히 쉰다. 편히 쉬면 마음이 비고, 마음이 비면 이치가 맞고, 이치가 맞으면 일마다 이루어진다.

이것을 밝혀 요(堯)는
남쪽으로 앉아 임금이 되었고

이것을 밝혀 순(舜)은
북쪽으로 앉아 신하가 되었으니

이에서 보듯 장자는 한편으로는
무위를 하늘의 덕이라 말하고

無爲=天道=天德

차례에 따라 다음 것을 밝힌다고 했어.

2. 도덕(道德)을 밝힘
3. 인의(仁義)를 밝힘
4. 분수(分數)를 밝힘
5. 형명(刑名)을 밝힘
6. 인임(因任)을 밝힘
7. 원성(原省)을 밝힘
8. 시비(是非)를 밝힘
9. 상벌(賞罰)을 밝힘

요가 대답했지.
외롭고 궁한 백성을 보살피고…

어린아이를 사랑하고 여자를 불쌍히 여기려 하오.
어린이 날 제정!!

훌륭합니다만 아직 위대하다고 할 수 없겠습니다.

임금님께서 천덕을 갖추시면…

마치 해와 달이 비치듯

계절이 순행하듯
봄
여름
가을
겨울

구름이 일어나고 비가 내리듯 세상이 다스려질 것이니

굳이 백성이니 여자니 할 것이 무엇이겠습니까?

이에 요가 탄식했어.
나는 사람과 합하였고, 당신은 하늘과 합하였소그려!

그런데 장자가 강조하는 천도는 언어 이전의 것이기 때문에
내가 하는 수 없이 언어를 쓰지만

마음으로 깊고 고요히 깨우칠 수 있을 뿐
언어 또한 도의 끄트머리이니…
언어

옛 책에서 찾아 낼 수 있는 것이 아니야.
도 그 자체에서 보면 매우 거친 것이다.

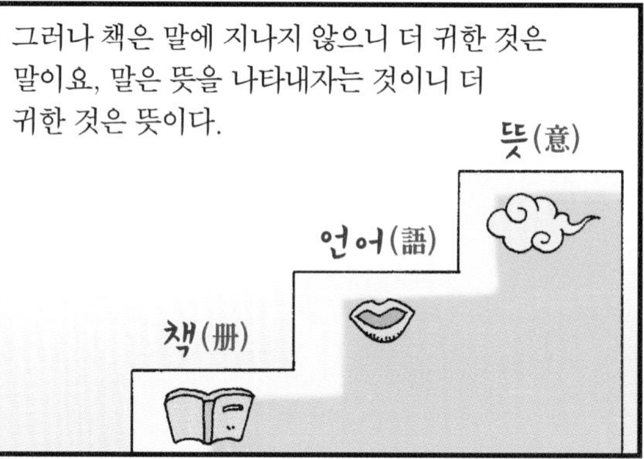

*아는 자는 말하지 않고, 말하는 자는 알지 못한다.

어느 때 제환공이 책을 읽고 있었는데

뜰에서 수레를 만들고 있던 목수가 물었어.
임금님께서 읽고 계신 것이 무엇인지요?

이 책 속에는 옛 성현의 말씀이 적혀 있다.

그 성현들은 지금 살아 계십니까?
아니.

그렇다면 임금님께서는 옛 성현이 뱉어 놓은 찌꺼기를 읽고 계시는군요.
뭐?

저는 지금 수레바퀴 살을 바퀴에 맞도록 깎고 있습니다만…

조금만 굵어도, 조금만 가늘어도 딱 맞질 않아서

제 자식에게도 그것을 가르쳐 주지 못하니
왜 비법을 안 가르쳐 주시는 거예요?
이놈아! 말로 설명할 수 있는 게 아니라니까!

거기에는 저만 아는 '그 무엇' 이 있습니다.

그러니 옛 성인 또한 책에는 전하지 못하는 '그 무엇' 이 있지 않았을까요?

그렇기 때문에 책은 옛 성현의 찌꺼기라고 말씀드리는 것입니다.

듣고 보니 그렇네?
어허

자취 없는 본래의 마음으로
천운(天運)
장자는 거듭거듭 인간이 본래 타고난 천성의 순수함을 강조한다. 그에 비할 때 유가가 강조하는 인의는 물 밖에 나온 물고기를 거품으로 적셔 주는 덕밖에 없으므로, 고니가 스스로 희고 까마귀가 스스로 검은 그 상태로 돌아가야 한다고 주장한다.

유가는 보통 사람 위에 성현을 높이지만
성현
보통 사람

장자는 유가가 숭배하는 성현을 비웃었어.
성현 위에 도(道)가 있다.

같은 의미에서 장자는 유가가 내세우는 인(仁)도 뒤집게 되는데
상(商)나라 재상이 나에게…

인에 대해 묻기에 내가 대답했지.
세상에서 호랑이가 가장 인하오.

난폭한 호랑이가 어찌 인할 수 있소?

호랑이 또한 부자간에 서로 친하고 위해 주니 어찌 인하지 않단 말이오?

세상에서 말하는 인은 진정한 인이 아니니….
인
인
인

지극한 인은 도리어
인하지 않은 법이요.

이어서 장자는 마음에 자취가 없어야 한다는, 석가모니의 가르침 비슷한 논설을 전개해.
삼륜청정(三輪淸淨)의 베풂!
세 가지 깨끗한 베풂
1. 주는 사람이 없다.
2. 받는 사람도 없다.
3. 오고 가는 물건이 없다.

공경하는 효는 쉬우나 사랑하는 효가 어렵다.
사랑하는 효는 쉬우나 어버이를 잊는 효는 어렵다.
어버이를 잊는 효는 쉬우나 어버이가 나를 잊게 하는 효는 어렵다.
어버이가 나를 잊게 하는 효는 쉬우나 천하를 잊는 인은 어렵다.
천하를 잊는 인은 쉬우나 천하가 나를 잊게 하는 인은 어렵다.
경(敬)→ 애(愛)→ 망친(忘親)→
사친망아(使親忘我)→
겸망천하(兼忘天下)→
사천하겸망아(使天下兼忘我)

여기서 잊는다는 것은 마음에 자취가 없다는 의미로서
마음에 자취가 있음!
내가 수재 의연금 1억 원 냈는데…
신문에 안 나왔네?
이런 경우 1차적으로는 선행이지만 2차적으로는 지극한 선행은 못 된다는 것이 석가모니와 장자의 충고!

이렇듯 장자는 효를 행하되 효한 아들도 없고, 효를 받는 어버이도 없는 효행을,

인을 베풀되 인한 임금도 인을 받는 천하 백성도 없는 인을 내세워

유가에서 주장하는 효제(孝悌)·인의(仁義)의 협소함을 지적한 거야.
흔적을 남기는 작은 인!
효제
인의

장자는 그런 높은 경지에 있는
황제(黃帝)를 소개했어.
삼황오제
(三皇五帝)의
한 사람!
작가

황제가 어떤 음악을 연주하자

신하인 북문성이 듣고 나서
말했어.
처음에는 두려웠고,
마지막에는 정신이
아득해졌습니다.

내가 처음에는 우렛소리처럼
우렁차게 했거든.

그러다가 마지막에 이르러
짐승이 떼를 지어
서로 쫓고 쫓기듯…
두두두…

초목이 우거져 자라나듯

나직하고, 깊고, 그윽하고

구름인 듯 가고

물인 듯 흐르고

텅 빈 듯 흩어지고

바람인 듯 움직여서

일정한 가락에 매이지 않으니
그대가 아득해질 수밖에!

그러므로 지극한 소리는 들어도 들을 수 없고,
보아도 볼 수 없다고 하였다네.
캬

공자 때 노나라에 사금(師金)이라는
음악가가 있었는데

공자가 위나라로 가자 그가
안회에게 말하였어.
이번 여행길에…

당신 선생님은
욕을 좀 볼 것입니다.

대체로 물길을 가는 데는
배만 한 것이 없고

육로를 가는 데는
수레만 한 것이 없는데

공 선생이 지금 애쓰시는 것은
배를 육지에서 미는 것과 같습니다.
낑낑

옛날에 미인
서시(西施)가…

어떤 일로 눈살을 찌푸리면 매력이
만점이었다죠.
어머, 양미간에 주름 잡히는 것 좀 봐!
너무 매력적 이다!

그러자 마을의 못난 여자들이 모두
따라서 눈살을 찌푸렸다고 하는데…
어때, 나 예뻐?
한쪽 눈을 질끈….

그 매력의 요점을 놓치고
겉모양만 따라 한다는 점에서

당신 선생님은 마을의
추녀와 같다 하겠습니다.

이 이야기에 이어서 장자는 다시 한 번
공자를 불러내어 노자 앞에 세워.
다음 컷!
또 공자 나와!
툭하면 나를
등장시켜…

공자가 나이 쉰에 아직 도를
듣지 못하여
Where is the 道?

노자를 찾아갔더니 노자가
물었어.
도를 깨우쳤소?
아뇨.

당신은 어디서
도를 구했소?
5년간 예의
법도에서요.

그리고 다시 12년간
음양에서 구했지만
찾지 못했습니다요.

그러자 노자 왈
도란 물건이 아니니
주고받을 수 없소.

내가 들으니 당신은
인의를 주장한다고
하는데…

겨 가루를 눈에 뿌리면
사물을 볼 수 없고
퍽
으악!

모기가 물면 잠자지 못하듯이
애~앵

당신의 인의 때문에 천하가
어지러워지고 있소.
그럼 난 모기?

세상을 순박한 본래
그대로 놔 두시오.

당신 또한 무위의 바람을 따라
본성의 덕을 지키도록 하시오.

저 고니는 목욕하지 않아도
스스로 희고
나는
목욕 안 해!
대중
사우나

까마귀는 먹칠을 하지 않아도
스스로 검으니
염색
안 할래?
NO!

사람의 본성 또한 인의로
목욕하고 칠하지 않아도
인의를
실천하라!
나도 알아!

흴 때 희고 검을 때는 검은 것뿐

흰 것은 좋고 검은 것은 나쁘다고
할 수 없소.
검은 것이
아름답다!

그러니 당신의 인의는 물 밖에
나온 고기에게
파닥 파닥

거품으로 적셔 주는 정도일 뿐
어때,
괜찮지?
물 좀 더 줘!

그것이 어찌 본래 있던 강호에서
노니는 것만 하겠소이까?
이해하세요. 장자가
각본에 연출까지
맡은 영화니까요.
에이! 난 늘
노자에게
당하기만 해!

순수하고 천연스런 물처럼

각의(刻意) · 선성(繕性)

장자는 뛰어난 사람이 가는 길을 다섯 가지로 예시한 다음 이들의 길은 모두 억지로 애쓰는 바가 있기 때문에 불완전한 것이라고 비판한다. 그 대신 장자는 순수하고 천연스러운 물(水)의 길을 제안하는데…….

장자에 의하면 삶의 길에는 인위와 무위가 있는데

인위의 길 : 약간 위대함

무위의 길 : 진정으로 위대함

장자는 말하지.

1.
고상한 행동을 한다며
산곡(山谷)에 숨어 살면서…

2.
인의충신(仁義忠信)을 내세우면서
자기 몸을 닦아…

그것으로써 남과 세상을 바로잡는다고
주장하고, 스승과 제자가 어울려
학문을 세우는 사람이 있다.
仁義忠信

3.
큰 공(功)을 추구하는 무리도 있다.

이들은 임금과 신하 사이에
예(禮)를 세워 땅을 차지하여
제후가 되려는 자들이다.

4.
시골로 돌아가 넓은 들판에
살면서…

한가로이 낚시질하며 일 없이 노니는 사람.
그런 강해(江海)의 무리도 있다.

5.
흐린 기운을 내쉬고
새 기운을 마시면서…

곰처럼 나뭇가지에 매달리고, 새처럼 목을 빼는 사람들.
이렇듯 도인(導引)으로서 양생(養生)에 치중하는 무리도 있다.

이렇게 다섯 부류의 사람들을
예시하면서
1
2
5
3
4

장자는 그 부류에 해당되는
역사 인물을 굳이 예시하지 않고
그냥 그런 부류가
있다고만 할게.

다만 다섯 번째 인물로서
팽조(彭祖)를 들었을 뿐인데
팽조는
제5그룹!

장자의 분류에 걸맞은 인물을 각각
대입해 보면
그럴 경우
제1부류에는…

은 왕조에 대해 신하로서 절개를
지키기 위해 수양산에 들어가

고사리를 캐먹다가 굶어죽은
백이(伯夷)·숙제(叔齊)가 이에 속하고
아
깨끗하게
죽으리!

인의충신을 추구하는 제2그룹에는
인의!
충신!
효제!

재론의 여지없이 유가 학파가
속하게 되니
수신제가
(修身齊家)
치국평천하
(治國平天下)!

자하(子夏)·맹자(孟子) 등을 이에
편입시킬 수 있어.

또한 큰 공을 세워 높은 벼슬을 하는 제3그룹에는 은탕왕을 도왔던
명신 이윤(伊尹)과
입신양명
(立身揚名)!

주나라 건국에 결정적인 역할을 한
강태공(姜太公)을 꼽아 볼 수
있지.

마지막으로 건강 장수를 목표로
웰빙은 2천 년 전에도 있었응께!
참살이!

정좌(靜坐)·호흡(呼吸)·체조(體操)·마찰(摩擦) 등의 술을 닦는 사람으로는

그 결과 800백 살을 살았다는 팽조가 제5그룹의 대표자가 돼.
나, 799살!

이렇게 옛 사람들이 간 길을 열거한 다음
지금까지 말한 것은 고등학생 수준!

장자는 자기의 길을 이렇게 제시했어.
1.
고상한 행동을 하지 않고도 몸을 닦는다면?

2.
인의충신이 없이도 천하를 바로잡는다면?

3.
공명을 세우지 않고도 나라를 부강케 한다면?

4.
굳이 강해에 노닐지 않고도 마음이 한가롭다면?

5.
수련을 하지 않고도 양생의 도를 깨우친다면?

바로 그것이 나의 道이다

장자는 말했어.
모든 것을 잊고, 그러면서도 모든 것을 갖추었으니…

이것이 천지의 도요, 성인의 덕인 것이다.

장자에 앞서 노자는 뜻을 가진 사람을 세 차원으로 나눈 적이 있어.
상사(上士).
중사(中士).
하사(下士).
그건 군대 계급인데?…

그런데 장자는 사람을 네 차원으로 나누었지.
중인(衆人).
염사(廉士).
현사(賢士).
성인(聖人).

장자는 말해.
보통 사람은 이익을 중히 여긴다 (衆人重利:중인중리).

깨끗한 선비는 이름을 중히 여긴다 (廉士重名:염사중명).
흐뭇

어진 선비는 뜻을 중히 여긴다 (賢士重志:현사중지).

성인은 정신을 중히 여긴다 (聖人重精:성인중정).

그렇다면 어떻게 정(精)과 신(神)을 기를 수 있을까?
순수이부잡 (純粹而不雜)
순수하여 섞이지 말라는 뜻!

정일이불변 (精一而不變).
그러면 고요히 하나가 되어 변하지 않는대요.

저 물을 보라. 잡된 것이 섞이지 않으면 맑고, 움직이지 않으면 평평하지 않은가?

그러면서도 막혀 있지 않고 늘 흘러야만
맑아지는 것이 물이니…

마음도 이처럼 순수 · 염담 · 무위하게 흐르게 하라.
이것이 정신을 기르는 대법(大法)이다.

이런 바탕에서 장자는 중국의
전래 가치들을 더욱 심화시켰어.
인(仁)이란 덕으로써
모든 것을 받아들이는
것이다.

의(義)란 도를 지켜 모든 경우에
알맞은 것이고, 충(忠)이란 의에 밝아
모든 것이 친해 오는 것이다.

순수하고 참되어 자연의 정에
돌아가는 것이 악(樂)이며…

몸과 얼굴빛을 절도에 맞게
하는 것이 예(禮)이다.
禮

장자는 이 모든 것의 근본은
도(道)이고
道
도는 모든
것의 뿌리!

인이니 덕이니 하는 것들은
도에서 파생되는 작은 행실에
지나지 않는다고 했어.
인의·예악은
지엽말단!

장자의 결론은 이래.
물(物)을 위해
자기를 망치고,
속(俗)을 위해 본성을 잃은
사람을 일러…
'뒤집혀진
인간'이라고
하느니라.

개구리여, 저 큰 바다를 보라
추수(秋水)
이 장에는 '우물 안 개구리(井底之蛙:정저지와)'와 '대롱을 통해 하늘 쳐다보기(管見:관견)'라는 유명한 말이 나온다. 장자는 앞 장에 이어 이 장에서도 자신의 도가 얼마나 광대한지를 갖가지 비유와 언어로써 설파한다.

가을 물(秋水)이 여름 내내 물을 모아 황하(黃河)로 흘러드니

황하의 신 하백(河伯)이 기뻐서
유람이나 떠나 볼까?

흐름을 따라 동쪽으로 가다가 바다에 이르렀어.
가만, 여기가 어디냐?

물 끝을 볼 수 없는 북해(北海)의 장관.
아

하백은 잠시 멍해졌다가
우째 이런 곳이!

북해의 신인 약(若)에게 말했지.
나는 일찍이 공자와 백이를 우습게 여기는 사람이 있다는 말을 듣고 그 말을 믿지 않았더니…

이제 바다의 끝없음을 내 눈으로 보고서야 그 말을 믿을 수 있게 되었소.
하하하

그러니 공자가 조그만 지식으로
박식하다 일컬어지고
이러니라
저러니라

백이가 임금 자리를 사양하여
깨끗하다고 칭송받는 것은
왕위를….
NO!

자네가 잠깐 황하가 제법 크다고
여긴 것과 같다네.
오!

그러니까 천하는
크고, 털끝은 작군요!
아~니!

진실한 입장에서 보면
큰 것도 없고 작은 것도
없네.

또한 도로써 보면
사물에는 귀천이
없으므로
道

그대는 귀천의
차별로 뜻을
얽매지 말고…

부디 자연의 본성으로
돌아가 안주하게나.
!!

여기서 자연의 본성에 안주한다는
것의 예화가 인용되지.
장자
우화집

발이 하나인 기(夔)는
지네를 부러워하고
나는 깡충깡충
뛰는데, 너는 뛰지도
못하면서
많은 발을 잘도
움직이는군.

지네는 뱀을 부러워하는데, 어느 날 지네가 뱀에게 말했어.
나는 발이 여럿인데도 왜 발 없는 자네를 못 따르는 걸까?

그렇지만 이 뱀은 바람에게 말했지.
나는 등뼈가 있지만 자네는 형상 없이도 어떻게 그리 잘 가는가?

바람이 대답했어.
내가 빠르긴 하지만 '눈(目)' 은 더 대단해.

'눈' 은 봤다 하면 벌써 가 있거든.

'마음' 이란 놈은 더욱 지독하지. 생각만 하면 벌써 가 있으니까.

그렇지만 나는 큰 나무를 쓰러뜨릴 수도 있고, 집을 날려 버릴 수도 있지.

자연의 용도는 그렇게 각기 다른 법일 뿐이니 그 본성에 따르면 될 일!

공손룡(公孫龍)은 명가(名家) 학파의 학자인데

그가 위공자(魏公子) 모(牟)에게 말했어.
저도 나름대로 공부를 했다고 여겼습니다만…

장자의 학설을 듣고 정신이 아득해졌습니다.

* 이 부분은 후대에 더해진 글인 듯함.

어느 때 장자가 친구
혜시에게 말했어.
아, 저것이
물고기의
즐거움이로구나!

자네는 물고기가 아닌데
어떻게 물고기가
즐거운지 아는가?
흥

그러는 자네는 내가 아닌데
어떻게 내가 물고기의 즐거움을
모르는 줄 아는가?

그래. 나는 자네를 몰라.
그러니 자네도 물고기를
모를 수밖에.

아닐세!

조금 전에
자네가 내게
물었지.
'자네가 어떻게
물고기가 즐거운지
아는가?' 라고.

그때 자네는 이미
내가 안다는 것을
알았네.

어쨌든 나는 지금 매우
즐겁다네. 사물과 하나가
되었기 때문이지.

이렇게 되면
모든 것이 다 즐거워지는
법이라네.

죽음이 반드시 나쁘기만 한 것일까?

지락(至樂)

모든 철학이 삶을 예찬하고 죽음을 꺼리지만 불교와 함께 장자는 삶과 죽음을 일치시키려 한다. 아니, 장자는 도리어 죽음이 삶보다 더 좋은 것일지 누가 아느냐고 반문한다.

그러나 부자들은 몸뚱이를 괴롭혀 재물을 쌓고도 다 쓰지 못하니
제 몸뚱이를 위하려다 도리어 몸뚱이를 상하고,
귀한 사람 또한 일이 잘못될까를 노심초사하다가
뜬 눈으로 밤을 새우니 역시 몸뚱이를 위하려다
도리어 몸뚱이를 상하는구나!
지지율
으아
걱정이다! 선거가 코앞인데….

부귀영화!
지금 세상 사람들이 즐겨 하는 방향이 옳은지에 대해…

나는 진정 그것이 옳은지 모르겠다.

그들이 즐겁다고 여기는
그것은 정말 즐거운 것일까?

부귀
그들은 그것을 향해 죽어도 좋다는 듯이 달려가지만…
나에게는 그것이 제대로 된 것으로 보이지 않는다.

내가 즐거움으로 삼는 바는 그들과 다르니…
나는 무위로써 지극한 즐거움을 삼는다.
무위?

그러나 나의 즐거움이 세상 사람들에게는 괴로움이 된다.

장자의 아내가 죽었을 때
혜자(혜시)가 문상을 갔더니
謹弔

장자는 너무나도 편안하게 앉아
노래를 부르고 있었어.
오~아내여!
노래하자 … 파
라팜팜팜 …

그래서 혜자 왈
평생 동안 고락을
함께하던 사람이
죽었는데…

혹 울지 않는 것은
모르지만 노래를
부르다니…
이건 너무
심하지 않은가?

장자는 말했어.
처음에야 난들
어찌 슬프지
않았겠는가?

그러나 조금 더
생각해 보니 그가 나기
이전에 그는 본래
생(生)이 없었고…
생이 없었을
뿐 아니라 형상이
없었으며…
?

형상이 없었을
뿐 아니라 음양의
기(氣)가 없었네.

맨 처음에 흐릿했던 무언가가
기로 뭉쳐졌고

기가 변해서 형상이 생겼고

형상이 변해서 생이 생겼고

그 생이 이제 변하여 죽음으로
돌아간 것이니

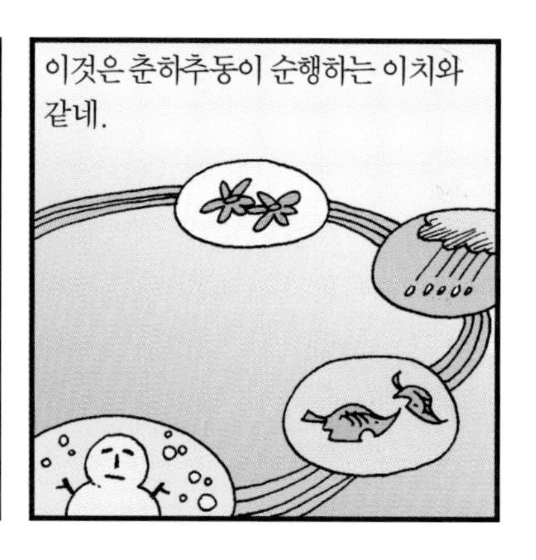
이것은 춘하추동이 순행하는 이치와
같네.

그런데 내가 큰 소리로 시끄럽게
운다면 천명을 모르는 게 되지
않겠는가?

그런 의미에서
내가 이야기 하나
해 줌세.

지리숙(支離叔)과 골개숙(滑介叔)이란
이인(異人)들이 있었네.

그런데 갑자기 지리숙의
왼팔에 혹이 생겼지.
암인가?

골개숙이 기분을 묻자 지리숙이
대답했다네.
내가 왜 이 혹을
미워하겠는가?

어차피 우리의 생이라는 것
자체가 빌려 온 혹 같은 것일세.

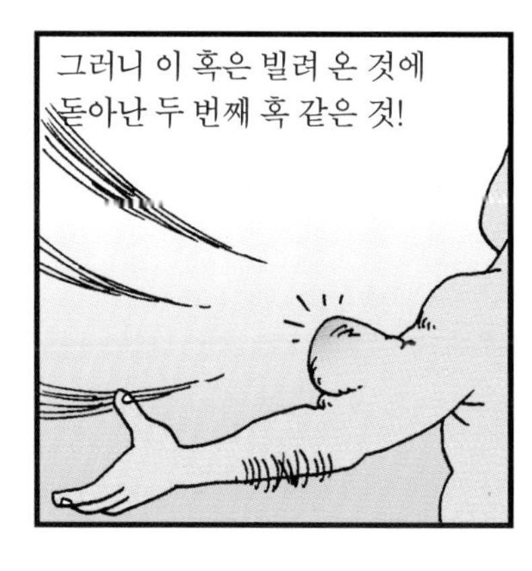
그러니 이 혹은 빌려 온 것에
돋아난 두 번째 혹 같은 것!

나아가 죽음과 삶 또한 밤과
낮과 같은 것이니
째깍
째깍
삶
죽음

이 변화 속에서 내가 무엇을
싫어하고 무엇을 미워하겠는가?

이렇듯 장자는 무위를 얻은 도인은
저승사자
내가 찾아가면 놀라겠지?

삶과 죽음을 하나로 보아 초월하게 된다고 분명하게 말했어.
나 데리러 오셨수?
밥이나 마저 먹고 갑시다.

어느 때 장자가 길에서 해골을 보았는데

그는 채찍으로 그것을 두드리며 물었어.
해골아! 해골아! 어쩌다가 이 꼴이 되었느냐?

자살을 하였더냐? 헐벗고 굶주리다가 이리 되었느냐?
놀다가 그랬느냐? 사형을 당했느냐?

그런데 그날 밤 해골의 주인이 장자의 꿈에 나타났어.
하이!

그리고 해골이 말하길
히히! 자네가 낮에 지껄인 말들은 참 요란했네.

그런데 혹 이거 아나? 사형이니 굶주림이니 하는 따위는…

살아 있는 동안의 걱정거리일 뿐이라는 것을!

내가 있는 이 죽음의 나라에는 임금도 신하도 없고…
사시의 변화도 또한 없다네.

그저 조용히 천지와
함께 목숨을
같이하는데

그 즐거움은 살아 있는
임금들도 따라오지
못한다네.
빵

장자가 의심이 되어 되물었어.
그대는 죽음이 좋고
삶이 싫다 이거겠다?

그렇다면 내가
제안을 하나 하지.
가령
그대에게…

다시 뼈와 살을 주어
사람으로 만들어서

예전에 그대가 살던
부모 처자 곁으로
보낸다면…

그대는
내 제안에 대해
허락하겠는가?

해골 주인은 깊은 시름에
잠겼다가
흠….

한숨을 쉬며 대답했어.
내가
무엇 때문에…

임금의 즐거움을
버리고 인간의
괴로움을 갖겠는가?

해골의 말처럼 과연 죽음은
삶보다 나은 것일까?
죽음이
삶보다 낫다고?
뭐?

그렇기만 하다면 굳이 삶에 목을 맬
필요는 없을 터인데.
이런!
너 죽고
싶나?
해골
살려!

마음을 모아 영모함을 얻으라
달생(達生)
술에 취한 사람은 자기를 잊었기 때문에 넘어져도 다치지 않고, 황금을 걸고 내기-활을 쏘면 명사수도 빗맞히게 되는 법. 그러므로 자기를 잊으라. 욕심을 버리라. 그런 다음 정신과 마음을 오롯하게 한 곳으로 모을지니…….

그러나 죽음이 삶보다 더 즐겁다고 해서
삶은 낙(樂), 죽음은 지락(至樂)!

자살을 해서 어서 빨리 죽자는 것이 아니라
선생! 비관론자 아니셔?
NO!

삶에 제 좌표를 찾아 줌으로써
내 말은 거꾸로 살지 말고 바로 살자는 뜻!

삶을 참으로 삶답게 하자는 것이 장자의 본뜻이야.
達生(달생)!
통달한 삶을 살자!

장자는 말했어.
물질은 쓰고 남아도 몸을 기르지 못하는 수가 있고
物 < 身
물건 물 몸 신

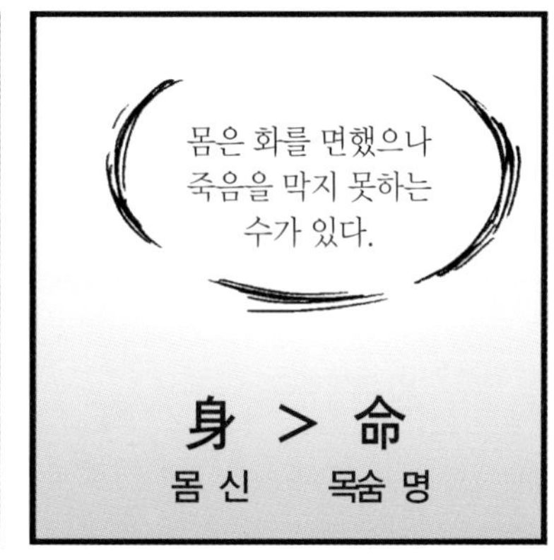
몸은 화를 면했으나 죽음을 막지 못하는 수가 있다.
身 > 命
몸 신 목숨 명

마음의 얽매임에서 벗어나라!
그러니 세상을 버려라!

그러면 바르고 편안해질 것이다!

道
또한 날로 새로워져 도에 가까워질 것이다.

열자가 노자의 직제자인 관윤(關尹)에게 물었어.
지인은 불을 밟아도 뜨겁지 않다는데…
어떻게 그럴 수 있습니까?

그러자 관윤이 말하길
불도 물(物)이고, 몸도 물이다. 몸이 물일진데, 물로써 물을 제어할 수는 없다.

그러나 물 가운데에는 형상이 있기 이전의 무엇이 있다.
道

지인은 그 무형의 덕으로써 자연과 조화하는 경지에 이른다.
지글 지글

술에 취한 사람은 넘어져도 다치지 않는다.
친구… 여기가 어디냐?

그것은 그가 술기운으로써 죽고 사는 것을 잊었기 때문이니
까짓거
천당이든 지옥이든 어디면 어때?

술기운도 이처럼 영묘하거늘 영묘함을 하늘에서 얻은 지인이야 어떻겠는가?

그러므로 사람의 하늘(人之天)을 열 것이 아니라 하늘의 하늘(天之天)을 열지니
天之天
인위!
人之天
무위!

사람의 하늘은 해(害)요, 하늘의 하늘은 덕(德)이기 때문이다.

어느 때 공자가 초나라로 가던 중

늙은 곱사가 장대로 매미를 잡는 것을 보았어.
맴맴

그런데 재주가 너무나 신묘하여 손으로 물건을 줍듯 하므로
벌써 299마리 잡았다!

공자가 공손히 물었어.
무슨 도로써 이리 합니까?
공자는 언제 어디서나 배우는 인물!

곱사가 말했지.
긴 장대 끝에 공을 올려놓지요. 공 2개를 포개어 올려놓고 떨어뜨리지 않으면 상당하죠.

공 3개를 포갤 수 있으면 10분의 9를 성공하게 되고…
와우~
서커스 수준이네..

공 5개를 포갤 수 있으면 나처럼 됩니다요.
휙~
이건 예술이야!

그때 나는 몸 가지기를 마른 나뭇가지처럼 하고

비록 천지가 넓다 해도 오직 매미 날개만을 볼 뿐입니다요.

이에 공자가 제자들을 돌아보며 탄식했어.
마음을 흩트리지 않으면 정신이 엉킨다고 하더니
바로 이 노인을 두고 한 말이로다!

제자 안회가 공자에게 여쭈었어.
제가 어느 때 어떤 뱃사공에게 들었습니다.

배를 보지 않는 사람이 참으로 배를 잘 젓는다고요.

그것이 무슨 뜻일까요?
잘 들어라. 나의 수제자야!

물을 언덕 보듯이 하는 것이 그것이다. 그러니 어찌 마음이 여유롭지 않겠느냐?

값없는 기와 쪽을 걸고 내기-활을 쏘면 용하게 맞히지만, 허리띠를 걸고 내기-활을 쏘면 반만 맞히게 되고
못 맞히면 어쩌나?

만일 황금을 걸고 쏜다면 마음이 어지러워져 거의 못 맞히게 되는 법!
금이다, 금! 금!

이것은 그 기술은 변함이 없지만 아끼는 것이 마음을 어지럽히기 때문이니, 이처럼 밖을 중히 여기면 속은 보잘것없어지는 법이다.
도저히 집중을 할 수가 없어!

전개지(田開之)가 위공(魏公)에게 말했어.
노나라 단표(單豹)는 70살에 어린애 같은 피부를 가졌는데
그런 수련가이면서도 굶주린 범에게 잡아먹혔고

장의(張儀)는 분주히 이익을 추구하다가 뱃속에 열이 차서 죽었습니다.
후천성 욕심 과열증!

단표는 안을 길렀지만 바깥을 먹혔고
内
外

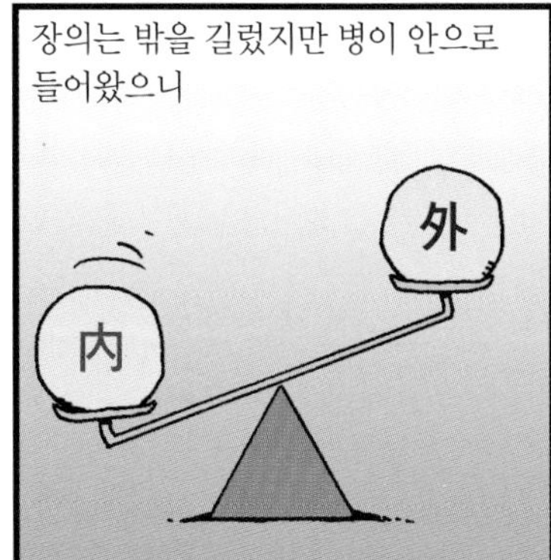
장의는 밖을 길렀지만 병이 안으로 들어왔으니
外
内

이 두 사람은 엉뚱한 노력을 했을 뿐입니다.
内
外

그래서 공자가 말했던 것입니다.
장자가 인용한 전개지가 또 공자를 인용!

너무 들어가 숨지 말고, 너무 나와 드러나지 마라.
그 중간에 서라. 그러면 지인(至人)이 되리라.

다시 공자 이야기.
어느 때 공자가 큰 폭포 앞으로 지나는데

그 폭포를 오르내리는 기이한 사나이가 있었어.

공자가 비법을 묻자 사나이가 말했지.
별것 아니지요.

그저 소용돌이를 따라 들어가고 물결을 따라 나오면 됩니다요.
바로 그것이 어려운 일이지!

그리고 바로 이 장에서 유명한 닭의 예화가 나와.
치킨 훈련소

기성자(紀省子)가 제군(齊君)을 위해 싸움닭을 기르게 되었는데
내가 아끼는 놈일세. 잘 부탁하네.

기른 지 열흘 만에 제군이 물었어.
이제 훈련이 좀 되었는가?

NO!
제 기운을 믿고 사납게 날뛰기만 합니다.

다시 열흘 뒤.
여전히 싸울 기세를 버리지 못합니다.

또다시 열흘 뒤.
다른 닭을 보면 움직입니다.

그리고 다시 열흘 뒤.
이제 다른 닭이 덤벼도 마른 나무처럼 끄떡하지 않습니다. 그 덕이 온전해져서 다른 닭들은 보기만 해도 달아납니다.
오우!
저 넘치는 카리스마!

그래서 바둑에서도 3단을 투력(鬪力 : 힘껏 싸움)이라고 하고
저단위자들은 그저 싸우고만 싶어하지.

8단을 좌조(坐照:앉아서 비추어 봄)라고 한 것일까?
안 싸우고도 이겨야 고단자!

욕심을 버려 주인 없는 빈 배가 되라
산목(山木)
과욕을 경계하고 무욕을 예찬하는 것은 예로부터 현철(賢哲)들이 한결같이
가르친 바로서, 장자 또한 무욕한 마음의 평화와 안녕을 가르친다. 특히 장자는
그것을 절묘한 비유로써 설파하는데…….

장자가 어느 산 속을 지나다가
큰 나무를 보았어.

나무꾼이 그 옆에 있었지만 나무를 베지 않아
이상히 여겨 물어 보았더니 그가 대답했어.
왜 이 나무를
베지 않소?
그건 크기만 할 뿐
쓸 데가 없어요.

이에 장자가 감탄했어.
허
이 나무는 쓸 데가
없어서 천 년을
사는구나!

조금 뒤에 장자는 친구의 집에
도착했는데

친구는 장자가 온 것을 기뻐하여
반갑네, 친구.
한턱낼게.

머슴 아이에게 말했어.
거위 한 마리를
잡아 국을 끓이거라.

한 놈은 잘 울고,
다른 놈은 잘 안 우는데
어느 놈을 잡을깝쇼?

우는 놈은 두고,
안 우는 놈을
잡아라.
예썹!

그 다음 날 제자들이 장자에게 물었어.
나무는 쓸모가
없어서 천 년을 살아
남았는데…
거위는 쓸모가 없어서
죽임을 당했으니
어떠합니까?

그러면 나는
쓸모 있음과 없음의
중간에 처해 볼까나?
유용
무용

그러나 그 정도의 처신은 도라고 말할 수 없다.
도덕에 마음을 두고 몸을 맡기는 사람은…

혹은 용이 되고, 혹은 뱀이 되며

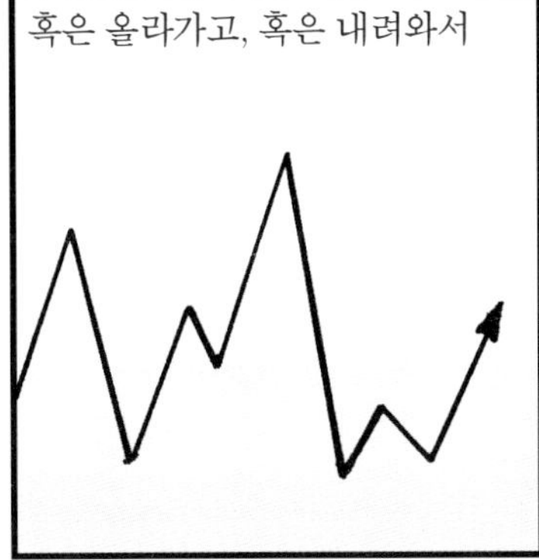

혹은 올라가고, 혹은 내려와서

모든 것과 화동(和同)하여 칭찬과
비방에서 벗어나
우~
와

사물을 부리되 사물에게 부림을 당하지 않으니
그 아무것에도 구속되지 않는 경지,

이것이 신농·황제의 도리인 것이다.

시남의료(市南宜僚)가 노후(魯侯)에게 가니
노후가 근심하여 물었어.
안녕하시온지요?
아니,
안녕하지 못하오.

조상을 섬기고
귀신을 공경하고
어진 이를 존경하고…

평생 착실하게 살아왔지만
근심 걱정이 끊이질 않소.

시남의료가 논했어.
저 여우와
표범을 보십시오.

저들에게도 나름대로의 도덕이
있으니 밤에 다니고 낮에 숨는
것은 계(戒)요.
너도 밤에
일하냐?

마을에서 멀리 떨어져 강호에서
먹이를 찾는 것은 정(定)입니다.
내 동네를
털 수야…

그러면서도 그물과 덫의 환란을
당하니
챠악

그것은 오직 그들의 털가죽이
아름답기 때문입니다.

그런 의미에서 임금님의
높은 지위는 표범의 털가죽이고

그 지위에 대한 집착이 온갖 근심을 낳는 것이니
털가죽에 대한 집착을 버리는 것으로써
수레를 삼아 타고 다니십시오.

*대막지국 : 허무도(虛無道)의 세계.

공자가 진(陳)·채(蔡) 두 나라 사이에서 포위당했을 때
미스터 공, 무대 위로!
연기자 대기실
또 나야?

임(任)이라는 대부(大夫)가 공자를 찾아와 말했어.
대개 곧은 나무는 먼저 베이고
물맛이 좋은 샘은 먼저 마르는 법!

당신은 지혜를 자랑하여 어리석은 자들을 놀라게 하고

제 몸을 닦아 다른 이들의 잘못을 드러내었으므로

오늘 이 지경에 이른 것이 아닐까요?
공씨 나와!
잘난 것이 죄?

이 말에 공자는 깨달은 바가 있어 제자들을 버리고
폐쇄 홈!

늪가에 숨어 가죽옷을 입고 나무 열매를 먹으니
아아

짐승들도 그를 두려워하지 않았다나?

물론 이것은 장자가 창작한 공자의 모습인데
공 선생님, 자꾸 인용해서 미안하우다.

장자가 하고 싶은 말은 이거야.
자기의 공을 자랑하는 사람은 도리어 공이 없고, 공을 이루고 물러나지 않는 사람은 실패하며, 이름을 떨치고 머물러 있는 사람은 어지러워진다.

이번엔 장자 자신의 이야기.

장자가 헌 옷에 떨어진 짚신을 신고 위혜왕을 찾아가니

혜왕이 물었어.
선생은 왜 그리 궁해졌습니까?

이것은 가난한 것이지 궁한 것이 아닙니다.

능력이 있는 사람도 때와 상황이 맞지 않으면 이렇듯 가난해질 수가 있는 법입니다.
그 반대도 물론 가능하죠. 당신처럼.

그러곤 다시 공자 이야기.
공자가 진·채 사이에서 이레 동안 먹지 못했는데

그때 공자는 거문고를 타면서 유유자적 노래를 불렀어.
오늘도 별이 진다네…
캬~, 저 여유!

그런데 장자에 의하면 그때 공자는 노래를 부르긴 했지만
아름다운 나의 별…
평소와 달리 음이 매끄럽지가 않아.

마음이 조금 불편하여 음률이 잘 안 맞았다고 해.
저 녀석이 눈치를 챘나 보군.
쩝

그래서 제자인 안회에게 변명 삼아 말했다는 거야.
회야, 나의 제자야!

하늘이 주는 손해(곤궁함)를 받고도 거기에 편안하기는 쉬우나
사람이 주는 이익(영화로움)을 받고도 거기에 빠지지 않기는 어렵다.

그렇다면 나는 왜 굳이 벼슬을 구하고 있는 것일까?

이상의 모든 이야기의 핵심은 욕심을 버리라는 것으로
욕심을 버리라는 의미의 예화!
·큰 나무와 거위 이야기
·여우와 표범의 도
·빈 배

장자는 아주 인상적인 자기의 체험을 전했어.
나도 창피한 꼴을 보일 때가 있었다니까!

장자가 조릉(彫陵)이라는 밤나무 숲에서 큰 까치가 비틀거리며 나는 것을 보았어. 이상히 여겨 관찰해 본즉 까치는 매미를 노리고 있었으며, 매미는 까치가 자기를 노리는 줄도 모르고 사마귀를 잡으려고 거기에 집중하고 있었어. 이에 깜짝 놀란 장자는 까치를 쏘려던 활과 화살을 버리고 도망을 쳤어. 그러자 숲지기는 장자가 밤 도둑이라고 여겨 욕을 하면서 쫓아왔대.
이놈! 감히 내 밤을 훔쳐?
오늘 술 안주는 까치 고기다.
매미 요놈, 금세 잡아먹힐 운명인 줄도 모르고….
사마귀 넌 이제 죽었다.
왜 이리 뒤통수가 가렵지?

그 일이 있은 후 장자는 석 달 동안
방 안에 틀어박혀 지냈고,

헉!

나도 까치와 다를 게 하나도 없었다!

무심無心과 천진天眞에서 노닐라

전자방(田子方)

노장 사상은 허(虛)와 함께 무(無)를 강조한다. 그 무가 마음에 적용될 때 무심(無心)의 경지가 되는데, 무심은 모든 욕심을 버리고 죽음에 대한 공포까지도 초월한 지극히 높은 경지이다.

전자방은 위문후를 지도하면서 자주 계공(谿公)을
칭찬했어.
계공 그분으로
말씀드리면
참 대단한
어른입니다요.

그분이 선생님의
선생님이십니까?
아닙니다.

그럼 그분의
선생님은 누구요?
동곽순자
(東郭順子)라는 분이
따로 계십니다.

그러면 그분이 더
훌륭할 텐데 왜 그 분
칭찬은 안 하시오?

계공은 도를 이야기하는데,
이치가 딱딱 맞아들어갑니다.
입술 쫙!
道

헐
그렇지만 동곽순자는
그저 순진할 뿐이어서
그분을 보기만 해도
교화가 되니
나 같은
사람으로서는
오히려 칭찬을
바치기도
민망합니다.

이 말을 하고 자방이 나가자 문후는
잠시 멍해 있다가
멍

신하에게 이렇게 말했어.
내 경지의
미미함이여!
자방의 말을
듣고 몸이 풀려 말을
듣지 않는구나!

온백설자(溫伯雪子) 또한
동곽순자와 비슷한 경지에
있었는데

공자가 그를 보고 나오더니
아무 말도 하지 않았어.
잠~잠

그래서 자로가 물었지.
오래 전부터 보고 싶어하던 분을 만난 뒤 왜 말씀이 없으신지요?

그냥 보기만 해도 그에게 도가 있는 줄 내가 알겠노라.

그런데 공자 또한 제자들이 보기에는 순자나 설자와
같았던 모양이야.
앞에 계신 듯 홀연히 뒤에 계시고
뚫을수록 단단해지는 우리 선생님!

이것은 공자의 수제자 안회의 찬탄으로서 《논어》에
보이는 장면이야.
요순보다도 위대하신 우리 스승님!

'전자방' 편에서 안회는
다시 선생님을
예찬하고 있어.
선생님께서 걸으시면 저도 걷고, 빨리 걸으시면 저도 빨리 걸으며….

선생님께서 달리시면
저도 달리기는 합니다만

선생님께서 날아가는 듯이
달리실 때는 저는 놀라서 눈을 크게
뜨고 멍하니 서 있게 됩니다.

선생님께서 도를 변론하시면
저도 변론합니다.

그러나 선생님께서 아무 말씀을 않는데도 세상 사람들이 모여들어 존경하고
복종함에 이르러서는
와아

저는 머리 숙여 조아릴 뿐
그 큰 이치를 알지 못합니다.

이에 공자가 말했어.
나에게는 오지도 가지도 않는 '그 무엇'이 있느니라.
네 뜻을 함부로 쓰지 말고 자연에 맡기거라.

그런데 그런 공자가 얼마 뒤에
노자를 만났어.

그때 노자는 꼼짝도 하지 않고
앉아 있었는데

한참 뒤에 공자가 물었어.
조금 전 선생님은 우뚝이 마른 나무같이

만물을 잊어버리고 물외(物外)에,
세상 밖에 계신 듯하였습니다.

이 경지를 말로는 설명할 수 없지만 억지로 말해 보겠소

그러고 나서 노자는 미묘한 말을 많이 했는데
至陰肅肅(지음숙숙)
至陽赫赫(지양혁혁)
하늘은 저절로 높고, 땅은 저절로 두터우며, 일월은 저절로 밝은 법! 내가 굳이 무슨 도를 닦겠는가?

공자는 노자에게서 물러나와 안회에게 말했어.
나는 도에 대해 아직 벌레 수준이로다!
휴
무엇 땜시 나를?

어느 때 장자가 노나라 임금을 찾아갔더니 임금이 말했어.
우리나라에는 선생의 도를 배우려는 사람이 적습니다.

그에 비해 유학을 배우는 선비들은 매우 많지요.

그러자 장자가 말하길
아닙니다. 노나라에 유학자는 아주 적습니다.
시험 삼아 유도(儒道)를 알지 못하면서 유복(儒服)을 입는 자는 사형에 처한다고 해 보십시오.

그래서 임금이 그렇게 했더니 과연 유복을 입는 자가 없어졌는데
사형
휙
나 죽기 싫어!

한 사나이만은 유복을 입고 임금 앞에 와서 청산유수로 변론하므로 마침내 장자가 선언했대.
노나라에 선비는 이 사람 하나뿐입니다.

중국 고대사에는 지금로서는 참
이해하기 어려운 인물이 많은데
이게 대체
가능한 일이냐?
중국 고대사

특히 백리해·강태공 같은
사람들이 그래.
백리해
강태공

나이 서른에 처자를 버리고
집을 나온 백리해는
야! 너도 자유를
숭상하냐?!

그 후 40년 동안 변변한 벼슬자리
하나 얻지 못하다가
나이 일흔에 겨우
왕궁의 말지기!

진목공(秦穆公)의 눈에 뜨여 하루
아침에 재상에 등용되어
단번에
32계단
승진!

목공을 보좌하여 그를 패자(覇者)로
만들었어.
패

또 강태공은 나이 80이 될 때까지
낚시나 하던 노인인데

하루 아침에 재상이 되어
주(周)왕조를 일으키고
周

제(齊)나라의 임금이 되었지.

도대체 백리해와 강태공은
어떤 사람이었기에
삼고초려
후대에
제갈
공명도

행정 경험도 없는 상태에서
스물여섯 시골 청년으로서
일약 스타가
되었죠.

갑자기 정상에 올라 국가적 난제를
척척 해결할 수 있었을까?
그때도 행정학
박사 과정이 있었나?

필자의 생각으로는 그들은 인간에 통달한
사람들이었던 것 같아.
사람은 무엇인가?
끄응

그리고 사람을 제대로 알면 용인(用人)할 수 있으니,
행정 또한 행정을 잘할 수 있는
사람을 각각 제자리에만
쓰면 되는 것이 아닐까?
자네는 환경부, 자네는
통일부, 자네는
외교부….

그러나 그것은 필자의 생각일
뿐이고
아녀!
그게 아녀!

장자는 그들이 도를 통했기 때문이라고
생각한 듯해.
백리해는 높은
벼슬도 많은 녹도
바라지 않았다.
그랬기 때문에 그가
말을 먹이자 말이
살쪘고….
돼지야?
말이야?

진목공에 의해
등용되자 천하를
굴복시킨 것이다.

또한 장자는 말했어.
주문왕이 낚시질하던
태공을 만났다.

그래서 그에게 나라를 맡겼더니
잘 부탁하오

조정에서는 패거리 짓이 없어지고
당파 싸움,
무(無)!

장수들은 제 공을 자랑하지 않게
되었다.
훈장은 부하들에게
주시죠.

그러나 막상 그는 가만히 있었을 뿐
따로 법을 세운 것은 아니었다.
에헴

이렇듯 아무런 꾸밈이 없는 큰 도를 얻은 현자는 가만히 있기만 해도 덕화가 생긴다는 것인데
덕의 기운이 천지를 휘감네!

그 무심(無心)의 경지를 열자는 백혼무인에게서 배웠다고 했어.

열자가 백혼무인에게서 궁술을 배우는데

활을 당긴 팔뚝 위에 물잔을 얹어도 고요했대.

그런 나무토막 같은 상태에서 1초당 열 발씩 쏘았다나 어쨌다나?
파바바박
정말? 에~이!

그러나 백혼무인이 말했어.
그것은 쏘는 쏨이지 쏘지 않는 쏨이 아니다. 한마디로 무심한 경지가 아니란 얘기다.

백혼무인은 열자를 백 길쯤 되는 낭떠러지로 데리고 가서

발끝으로 선 자세에서 활을 쏘게 하였는데
바들
바들

열자는 진땀을 비오듯이 흘리며 활을 놓고 말했어.
안 되겠습니다.

대개 지인은 어떤 경우에도 신기(神氣)가 어지러워지지 않는다.
너는 아직 멀었으니 도를 더 닦도록 하여라.
열자
아, 끝없는 도의 길이여!

말과 지혜가 끊긴 곳에서 도가 시작된다

지북유(知北遊)

세상 사람들은 말 잘하는 것을 부러워하고 지혜로운 사람을 칭찬하지만 장자는 말보다는 침묵을, 지혜보다는 잠잠하게 없음(無)과 없음의 없음(無無)에 도달한 경지를 찬양한다.

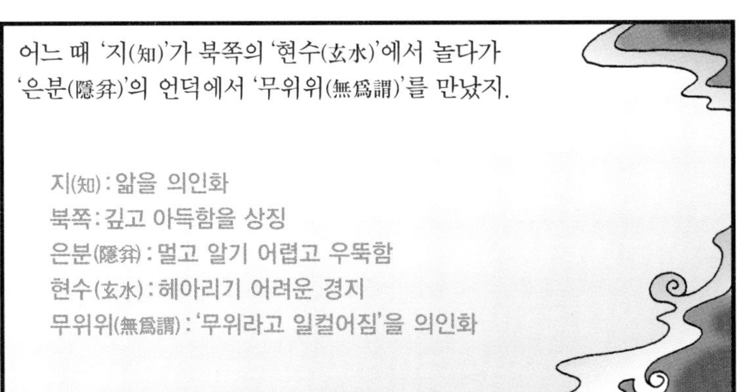

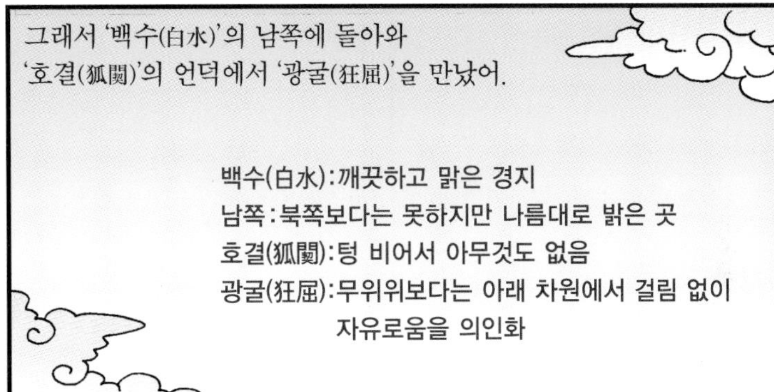

지는 다시 '제궁(帝宮)'의 '황제(黃帝)'에게 가서 도를 물었어.

제궁(帝宮) : 사람의 근본을 상징

황제(黃帝) : 황색은 중앙을 의미하므로 역시 마음을 의미함

그러므로 무위위는 옳고

광굴은 비슷하고
!!

너와 나는 도에서 끝내 멀구나.

다시, 무위위는 앎이 없는 앎으로써 알았고
앎 없는 앎?

광굴은 말을 하려다가 잊었으므로 제법 도에 가까웠으며
말 없는 말?

우리는 앎으로써 알았으니 멀다고 해야 한다.
그럼 난 도에서 3천 리 떨어졌네?

설결(齧缺)이 피의(被衣)에게 도를 물었어.
What is the Tao?

그러자 피의가 말하기를
네 몸을 단정하게 지키고
너의 시선을 하나에 고정시켜라.

그러면 신명(神命)이 네게 깃들어
덕이 네 몸에 붙고 도가 네 마음에 머물 것이니

그저 갓난 송아지처럼 아무것도 궁금히 여기지 말라.
야

그런데 그런 가르침을 듣던 중
설결은 금방 그 경지를 이루어

스승의 말은 듣는 둥 마는 둥 졸기
시작하였는데
꾸벅
꾸벅

스승 피의는 그걸 보고 기뻐하면서
베~리 굿!

이런 노래를 불렀다고 해.
몸은 마른 나무 같고
마음은 식은 재 같네.
빛을 감추고 지혜를 버리니
아, 그대는 도대체 어떤 사람인가!

어느 때 공자가 노자에게 물었어.
도에 대해
고견을!

이에 노자가 말했어.
지식이 넓다 하여
도를 아는 것이
아니요…
변론을 잘한다 하여
도를 말할 수 있는
것이 아니라오.

그러므로 성인은 지식과 변론을
버리나니

성인의 지혜는 지식과 변론으로써
더 넓어지지 않고 어리석은 침묵으로써
좁아지지 않소.

그것은 바다처럼 깊고 멀며 산처럼 높고 큰 것이라오.

무릇 형상이 없는
무에서 형상이 생기고
道

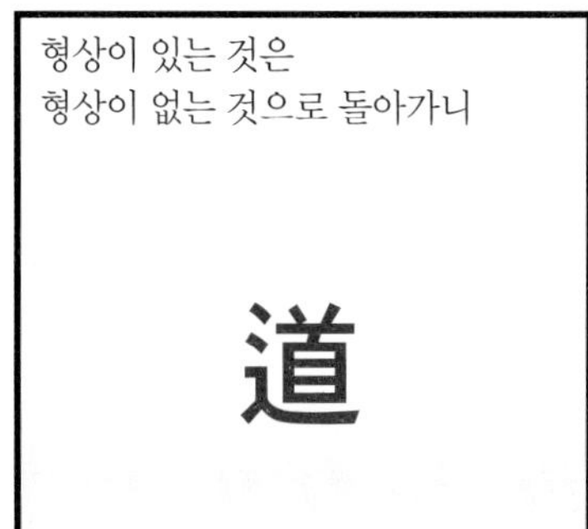
형상이 있는 것은
형상이 없는 것으로 돌아가니
道

이렇듯 무(無)가 유(有)보다 나으므로
無
有

아무리 좋은 변설도
침묵보다 못하고
웅변은 은!
침묵은 금!

귀를 기울여 듣는 것보다
귀를 막고 안 듣는 것이 나으니

이것을 일러 크게 터득했다고
하는 것이오!

그렇다면 도는 어디에 있는 걸까?
동곽자(東郭子)가 장자에게 물었어.
Where is the 道?

그러자 장자가 말했지.
없는 곳이
없다네.

그러지 말고 어디
있는지 콕 찍어서
대답 좀 해 주시게나.

그럼
잘 듣게나.
도는 예컨대
땅강아지나 개미에게도 있지.
그리고, 기장이나 피(벼처럼
생긴 풀)에도 있어.
엥?

그뿐인가.
기왓장이나
벽돌에도 있는걸!
윽!

사실은
똥오줌 속에도
도가 있다네.

이에 동곽자가 벌린 입을 다물지 못하자
똥… 도?

장자가 말했어.
그대는 도가 어느 특별한 곳에 있다고 여기는 모양이지만

지극한 도는 물(物)을 떠나 따로 있는 것이 아니니
도는 주(周)·변(徧)·함(咸), 바로 그것이라네.
도는 두루두루 퍼져 있고, 사물 속에 있고, 사물은 다시 도 속에 있는 것이죠.

아하감(阿荷甘)과 신농(神農)은 노용길(老龍吉)의 제자였지.
급훈
♡=(4+1)×24
방정식…

어느 때 스승이 죽자 신농이 웃었어.
아, 내가 괴팍하여 선생님께서 나를 깨우쳐 주는 말씀도 안 남기고 가셨구나!

엄강조(弇堈弔)가 그 이야기를 듣고 말했어.
신농 정도의 수준에서도
말 없는 것이 진실되다는 것을 알았구나!

그리고 그 말이 태청(太淸)과 무궁(無窮)에게 전해지니 태청이 무궁에게 물었어.
자네는 도를 아는가?

그러나 무궁이 대답했어.
난 몰라.

그러고 나서 다시 무궁이 무위(無爲)에게 물었어.
자네는 도를 아는가?
나는 아네.

그래서 태청이 이 일을 무시(無始)에게 전한 다음
A는 모른다 하고, B는 안다 하는데

그 시비를 물었어.
누가 옳고, 누가 그를까?

그러자 무시가 말했어.
모르는 것은 안(內)이요, 아는 것은 밖(外)이다.
모르는 것이 깊고, 아는 것은 얕다.

무시가 또 말했어.
도는 들을 수 없는 것이다.
따라서 듣는 것은 도가 아니다.
도는 볼 수 없는 것이다.
따라서 보는 것은 도가 아니다.
도는 말할 수 없는 것이다.
따라서 말한다면 그것은 도가 아니다.
道

물론 여기에 나오는 태청·무궁·무위·무시 등은 모두 개념을 의인화한 것인데,
'다함 없음'이 '시작 없음'에게 말하기를….
「무궁」이 「무시」에게 말하기를…

같은 방식으로 장자는 이야기를 계속해.
'빛으로 번쩍거림'과 '있음이 없음'이 있었는데…
난 수먹쉬고 일어서…

아! 지극하구나!
내가 일찍이 무가 있는 줄은 알았지만
무조차 없는 줄은 깨닫지 못했었다!

유(有 : 있음)→無(무 : 없음)→
무유(無有 : 있음이 없음)→
무무(無無 : 없음도 없음)

노자와 장자를 잇는 열자

《노자》와 《장자》를 잇는 중간에 《열자(列子)》라는 책이 있어요. 이 책의 저자로 알려진 열자는 실존 인물인지를 확인하기 어려운 가운데 대체로 《장자》에 언급되는 열어구(列禦寇)가 열자라고 생각되고 있어요. 그렇다면 열자는 B.C. 400년경의 사람이 되지요.

열자는 지금의 하남성(河南省)에 해당되는 정(鄭)나라 사람이었던 것으로 보여요. 그는 능력이 있었으면서도 세상에 나가 벼슬을 살고 싶어하지 않았어요. 《장자》에 보면 열어구가 정(鄭)나라 재상이 주려는 도움을 거절했다는 이야기가 실려 있어요.

열자라는 인물과 마찬가지로 작품 《열자》 또한 진서(眞書)인지 위서(僞書)인지에 대한 논란이 있는데, 위서는 지은이가 자기 이름을 숨기고 유명한 사람의 이름을 빌려서 쓴 책을 말해요.

유향(劉向)이라는 학자는 《열자》에 열어구보다 뒷 사람의 이야기가 나오는 것으로 보아 적어도 일부는 뒷사람이 보탠 것으로 보인다고 했고, 양계초(梁啓超)라는 학자는 동진(東晋) 때의 사람 장담(張湛)이 도가의 여러 말을 수집하여 만든 책이라고 보았어요. 양계초에 의하면 장담에 앞서 《열자》의 진본에 해당되는 《열자팔편(列子八篇)》이 있다가 유실되고 목록만 남아 있었는데, 장담이 그 목록에 따라 작품을 만들고 주(注)를 붙였다고 하는데 어디까지가 진실인지는 알 수 없어요.

두 학자는 《열자》를 진서로 보지 않는 근거로써 《열자》에 불교에 대한 간접적인 언급이 있는 등 불교 사상이 적지 않게 스며들어 있다는 점을 들고 있어요. 불교는 한대(漢代)에 중국에 유입되었기 때문에 《열자》가 《노자》와 《장자》 사이의 작품이라면

"서쪽 사람 가운데 성인이 있다. 그는 말하지 않아도 스스로 믿고, 변화하지 않아도 스스로 행한다"는 불타(석가모니 부처)를 연상시키는 말이 들어가 있을 수 없다는 거예요.

《열자》에 대한 이같은 의심은 마서륜(馬敍倫)과 호적(胡適) 등의 학자도 동의하는 것인데, 그와는 달리 염령봉(嚴靈逢) 같은 학자는 《열자》를 진서로 인정하고 있어요. 그에 따르면 오히려 장자가 《열자》에서 중요한 이야기 몇 가지를 골라 재인용했다고 해요. 이렇게 되면 《열자》에도 보이고 《장자》에도 보이는 '조삼모사(朝三暮四)' 이야기나 '우공이산(愚公移山)' 이야기의 창작자는 장자가 아닌 열자가 돼요.

이밖에도 《열자》에는 재미있는 예화가 많이 등장해요. 예를 들면 쓸데없는 걱정을 의미하는 '기우(杞憂)' 라는 말도 열자에 이야기가 실림으로써 널리 알려지게 된 거예요.

《열자》가 《노자》와 《장자》를 잇는다고는 하지만 굳이 따진다면, 《열자》는 《노자》보다는 《장자》에 더 가까운 책이라고 할 수 있어요. 예화를 들어가며 이야기하고 있다는 형식적인 면에서 특히 그렇지요.

어쨌거나 《열자》는 도가 사상에서 《노자》《장자》와 함께 세 번째로 중요한 책으로 꼽히고 있는 또하나의 고전임에는 분명하답니다.

제6장
《장자》 해설 3_잡편(雜篇)
시비선악을 분별하지 마라
경상초(庚桑楚)
마음이 시비선악을 분별함으로써 혼자 있던 내가 여러 사람이 되는 법.
장자는 노자의 입을 빌려 시비선악을 일으키지 않고 어린아이처럼 되어야
한다고 주장한다.

노자의 제자 중에 경상초라는
사람이 있었어.

그는 도를 배운 다음 북방 외루산
(畏壘山)에 살았는데

똑똑한 종은 내쫓고
IQ가
너무 높아!

살갑고 정 많은 아내를 멀리하며
취향도
독특하셔.
귀찮아

오직 순박하고 지혜가 없고 겉모습에
얽매이지 않는 이들과 친했대.
알까기나
한판!
키킥

그런 지 3년이 지나자 외루 지방에
덕화가 미치어
올해도
또 풍년!

외루 사람들이 모여 말하였어.
그 선생을
이상하다
여겼는데
지나고 보니
대단하신
분일세그려.
그분을
임금으로
모시자고.

그렇지만 그 말을 전해 들은 경상초는
!

영 입맛이 쓴 표정을 지었고, 제자가 물었어.
떨떠름
선생님, 왜?

그러자 경상초가 말했지.
봄에는 온갖 풀이 돋아나고

가을에는 모든 열매가 맺히는 법.

이것은 봄과 가을이 하는 일이 아니라 도가 운행하기 때문이다.

내가 듣건대 지인은 백성으로 하여금 구별을 잊게 한다고 하는데

지금 백성이 나를 보통 사람과 구별하여 임금으로 삼으려 하니
나는 노자 선생님께 심히 부끄럽구나!

제자들이 말했어.
어진 이를 높이고 능력 있는 이에게 지위를 줌으로써 세상을 이롭게 하는 것은

옛날에 요순께서도 하셨던 바인데, 선생님도 그 길을 따르십시오.

그러자 경상초가 다시 말했어.
수레보다 큰 짐승도 산을 떠나면 잡히고
도심으로 뛰어든 킹콩은 결국…
TV

배를 삼킬 만큼 큰 물고기도 물 밖으로 나오면 개미들에게 뜯기는 법!
살려주세요!

저 요순 또한 큰 짐승이자 큰 물고기로서 세상에 나와 지혜와 변론으로써 시비를 일으켰지만
교화(敎化)!
덕화(德化)!

그것이 자신을 피로하게 만들고 세상을 더 어지럽게 한다는 것을 몰랐다.
쩝
그랬나요?

그들이 어진 이를 받들어 줌으로써 세상 사람들은 거짓으로 어진 체하고
찰칵
멋지게 찍어!

그들이 지혜로운 이에게 벼슬을 줌으로써 세상 사람들이 지혜를 계발하여 서로 속이게 되어
필승
고시합격!
출세를 위해선 공부! 공부!

지금에 이르러 신하가 임금을 죽이고
권력은 빼앗은 놈이 임자지!

한낮에도 도둑이 담을 넘으니
요즘엔 낮에도 일해?

천 년 뒤에는 사람이 사람을 먹기에 이를 것이다.

그러자 그의 제자 남영추가 물었어.
어떻게 해야
목숨을 온전하게
보존하겠습니까?

경상초가 대답했지.
나는 더 이상
가르칠 게 없다.
노자 선생님께 가 보아라.

그래서 남영추는 노자를
찾아갔는데
딩동
노氏

그를 보고 노자가 물었어.
경상초에게서
왔다고?
예.
그렇습니다.

그런데
자네는 왜…
여러 사람을
데리고 왔는가?

그 말에 남영추는 놀라서 뒤를
돌아보았지만
휙

뒤에는 아무도 없었어.
???

노자가 물었어.
내 말뜻을
모르겠는가?

이에 남영추는 머리를 숙이고
부끄러워했대.
부끄

그렇지만 본문에는 그때 노자가 던진 말의 본뜻이 무엇인지
말하지 않고 있어.
그게 무슨 뜻일지
여러분도 한 번
생각해 보세요.
혼자 왔는데
여럿이 왔다고?
??
귀신인가
보지 뭐…

노자가 말했어.
아까 자네의 두 눈썹 사이를 한 번 보고 자네에게 도가 없는 줄을 알았네.

그래서 남영추는 노자의 집에 머물러 열흘 간을 지낸 다음

다시 노자를 뵙고 물었어.
이젠 도에 대해 말씀을….

그러자 노자가 대답했지.
너는 아직도 묵은 때를 다 씻지 못했구나!

지금 몹시 답답해 보이는 것으로 보아 아직도 물(物)의 호오(好惡 : 좋아하고 싫어함)를 구별 짓고 있구나!

이것으로 보아 노자가 처음 경상초를 만났을 때 던진 말의 본뜻은
왜 여럿이 왔는가?

경상초의 마음 안에 있는 여러 사람

아니, 그의 마음 안에서 시비선악을 가르는 복잡한 생각을 가리킨 듯해.

맞아. 우리 마음은 실로 미묘하고도 복잡하지.

온갖 생각과 감정이 수시로 교차하는 우리의 마음 따라서 나 자신은 한 사람이면서도 여러 사람이라고 할 수 있는 거야.
내 속엔 내가 너무도 많아….

요컨대 귀(貴)·부(富)·현(顯)·엄(嚴)·명(名)·이(利)·용(容)·동(動)·색(色)·이(理)·기(氣)·의(意)·오(惡)·욕(欲)·희(喜)·노(怒)·애(哀)·락(樂)·거(去)·여(與)·지(知)·능(能) 등은 모두 버려야 할 것들이다.

마음속을 분리 수거!

도道, 쓰이지 않는 그 쓰임에 안주하라

서무귀(徐無鬼)

서무귀는 위문후의 유위를 비웃고, 관중은 포숙의 좁은 개결(介潔: 매우 깨끗함)을 폄하한다. 인의와 청렴은 좋으나 '그것만이' 좋은 것이 아니라 그 너머에 더 좋은 것이 있으니, 그것이 바로 조작 없는 길, 즉 무위의 도(道)이다.

무귀가 계속 말했어.
무릇 착하고 아름다운 일을 행하려는 마음은

그 자체가 악의 시초입니다.
엉?

설령 군께서 인의를 행한다 하더라도 내가 인의를 행한다는 마음의 자취가 있다면

그것이 큰 문제인 것입니다.

그러니 군께서는 저 상등의 개와 상등의 말처럼 하십시오.
한마디로 말해서 천지자연의 이치에 응하여 백성을 조작하지 마십시오.
나처럼 살지 말라고!

이 '서무귀' 장에는 장자가 혜시를 회고하는 이야기도 나와.
혜시, 내 친구이자 라이벌!

어느 때 장자가 혜시의 무덤 곁을 지나다가

이런 말을 했다고 해.
옛날 초나라 서울인 영(郢) 지방에

장석(匠石)이라는 도끼질의 명인이 있었고

그에게는 영인(郢人)이라는 상대자가 있었다.

어느 날 영인은 자기의 코끝에
흰 흙을 파리 날개처럼 얇게
바른 뒤에

장석을 불러 그것을 깎도록 했다.
도끼질로 코끝의 흙을 벗겨 주게.

그러자 장석은 큰 도끼를 휘휘
휘둘렀는데
휙
휙

영인은 얼굴빛 하나 변하지 않은 채
태연자약.
기왕 흙을 벗기는 김에 코끝의 때도 좀 벗겨 줄 것이지.
히히

그런 지 몇 년 뒤에 송나라의
원군(元軍)이 장석을 불러들였다.
여보게, 장석.

나에게도 영인에게 한 것처럼 해 보겠나?

절레
절레

왜 안 된다는 겐가?
그런 일은 내 재주에…

그때 그 영인 같은 상대자가 있음으로써 가능합니다.

그러나 이제 그는 죽었습니다.
어디서 그런 사람을 다시 만날 수 있겠습니까?
오

이 이야기를 한 다음 장자가
제자들에게 말했어.
지금 나의 친구
혜자는 죽고 없다.

그러니 장석처럼 되어 버린 나는
누구와 토론하겠는가?
경쟁자가 없는
금메달은
별로 감격스럽지
않은 법이죠.

관중(管仲)과 포숙(鮑叔) 간의 우정은
매우 유명하여

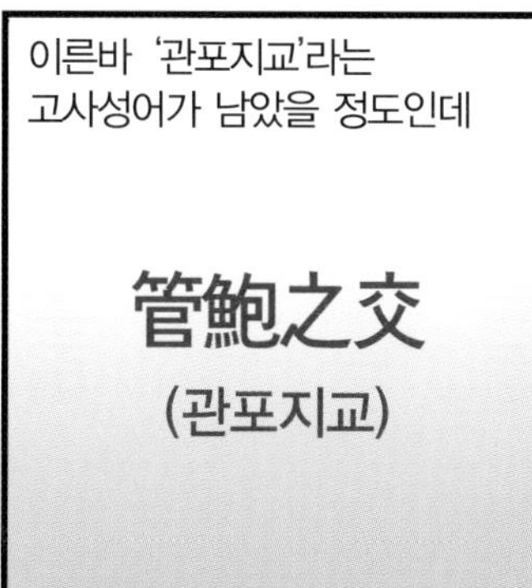
이른바 '관포지교'라는
고사성어가 남았을 정도인데
管鮑之交
(관포지교)

포숙은 관중을 추천하여 재상이
되도록 한 다음,
그 밑에서 있었고
자네가 내 위에
계시게.
OOO

관중은 제환공(齊桓公)을 천하의 패자로
부상시켰어.
나, 춘추 제일의
오야붕!
패권
총 9회에 걸쳐
천하의 제후를
소집하여 맹주가 됨!

그리고 마침내 관중이 죽기에
임박하여
중환자실

환공이 그를 찾아가 물었어.
다음 재상감으로
포숙이 어떻겠소?

그런데 뜻밖에도 관중은 이렇게
대답했어.
아니 되옵니다.

물론 그는
청렴합니다.
그러나 바로 그것이
그의 장점이자
그의 한계입니다.

그는 자기보다
못한 사람을 멀리하고,
한번 남의 잘못을 들으면
평생 잊지 않습니다.

그럼 습붕은
어떻소?

그가 훨씬
낫겠지요.

그는 아래에 있으면
윗사람에게 잊혀지고
위에 있으면 아랫사람이
배반하지 않게 되는 사람.
자네가
누구더라?
부하직원
습붕입니다…

다시 말해서
자기 재능을 감출 줄
아는 사람입니다.

어느 때 오나라 임금이 유람을 가서

원숭이들이 사는 강가에 이르자
원숭이들이 일제히 도망쳤어.
까아

그런데 그중 날쌘 놈 하나가
도망치지 않고
나 잡아 봐~라~.

이 나무 저 나무를 옮겨 가며
재주를 피우자
메~롱

오 왕이 활을 쏘았으나 맞히지
못했어.
요 정도야!
츄우욱

그러자 왕은 군사들이 일제히 활을 쏘게 하여
저 요망한 원숭이를 쏴라!

마침내 원숭이는 고슴도치가 되어 죽고 말았지.
?

임금이 말했어.
이 원숭이는 재주를 믿고 까불다가 이렇게 되었다.

그러자 그 말을 들은 안불의(顔不疑)는 임금 곁을 떠나

3년 동안 칩거하며 도를 닦았다고 해.

그리하여 장자는 말했어.
사람이 땅을 밟지만 그것은 한 평에 불과하다.

그런데 그 한 평은 그가 밟지 않는 100만 평이 있음으로 안전한 거야.
그 나머지 100만 평을 100미터 깊이로 파내 버리면 딛고 선 한 평이 얼마나 위태롭겠어요?

이렇듯 사람의 앎 또한 한 평짜리에 불과한 것!
앎

그러므로 쓰이지 않되 쓰이고 있는 100만 평을 보도록 해!
그 도(道)를 깨달으라.

달팽이 뿔 위의 나라에 비유하여
칙양(則陽)
얼핏 허황돼 보이지만 곰곰 음미해 보면 고개가 끄덕여지는 장자의 비유는 마침내 달팽이 뿔 위에 나라가 있을 수 있다는 데까지 나아간다. 천지를 아우르는 높은 차원에서 볼 때 위나라니 제나라니 하는 것은 달팽이 뿔 위의 한 나라에 불과하다고 장자는 설파한다.

장자는 말했어.
어떤 사람이 오랜 나그네 길에서 돌아와…

내 고장 내 나라를 바라보게 된다면 얼마나 기쁘겠는가?
아, 내가 놀던 이곳!

그렇다면 하물며 도를 찾는 사람이
道
道
道

마땅히 보아야 할 것을 보고
見見
(견견)

마땅히 들어야 할 것을 듣는다면
聞聞
(문문)

수십 자 높은 누대에 올라 만물을 굽어보는 것처럼 통쾌하지 않겠는가?
캬아

이 말로 짐작해 보면 장자는 사람에게는 '고향'이 있으며
저 남쪽 하늘 아래 그리운 고향이….

보통 사람은 고향을 떠나 나그네로 살아 가는 데 비해
타향살이 몇해던가…

도를 닦은 사람은 본래의 자리(고향)를 되찾게 되고
봄을 찾아 산 속을 헤매다가…

그처럼 고향에 돌아오면 삶은 시원 통쾌해진다고 생각한 듯해.
집에 돌아와 바라보니 뜰 앞에 매화꽃 피었네!

그리고 시원 통쾌한 경지에 이른 도인이 볼 때 세상은

붕새가 내려다보는 세상
아파트는 천 개의 성냥갑.

즉, 좁쌀들의 집합에 다름 아니겠지.
자동차는 만 마리의 개미떼!

사실 사물이란 보기 나름인 것.
내가 퀴즈 하나 낼게.

선생님은 칠판 위에 30cm쯤 되는 선을 그었어.

이 선은 긴가, 짧은가?

그러자 학생들은 아무도 대답하지 못했는데
잠~잠

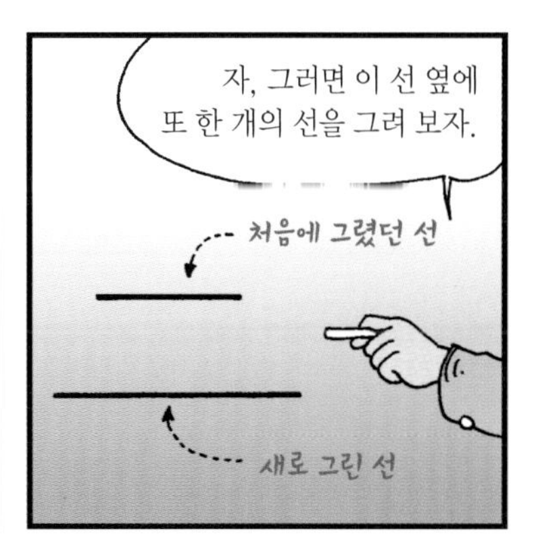
자, 그러면 이 선 옆에 또 한 개의 선을 그려 보자.
처음에 그렸던 선
새로 그린 선

이로써 처음에
그렸던 선은
짧은 선이 되었다.

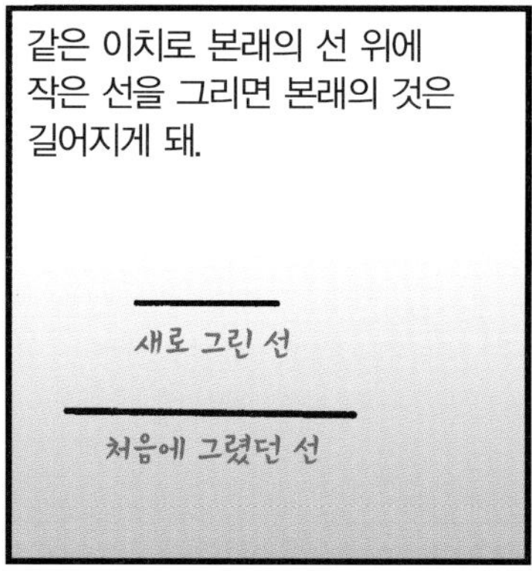
같은 이치로 본래의 선 위에
작은 선을 그리면 본래의 것은
길어지게 돼.
새로 그린 선
처음에 그렸던 선

그런데도 사람들은 자기 자신을
표준으로 삼아
내가 표준!
인간이
기준!

사물을 크다느니 작다느니 하지만
신장 150cm는
너무 작아.
체중 80kg은
너무 무거워.

그것이 절대적인 평가가 될 수
없을 뿐 아니라
우리 종족으로선
150cm는
큰 키.

평가 기준을 반드시 인간을
기준으로 해야 한다는 법도 없지.
우린 키를
옆으로 잰다, 왜?

그런 의미에서
내가 이야기
하나 하지.

위혜왕이 제위왕과 무슨
약속인가를 했는데
약속!
도장 찍고 복사
~.

위왕이 약속을 어기자 혜왕이
화를 내더니
우~ 이쒸!

마침내 위왕을 암살코자 했어.
그눔!
죽이삐리자!
옛썰!

그때 신하인 공손연이 말했어.
임금으로서 어찌
암살 같은 비겁한 수를
쓰십니까?
제가 군대를 일으켜
쳐들어가겠습니다.

그러자 계자가 말했어.
우리나라는 7년 간 전쟁을 하지 않음으로써 튼튼해졌는데…
이제 와서 전쟁이라니 안 될 말입니다요!

그러자 다시 화자가 말했지.
공격하자는 자나 말자는 자나 모두 난인(亂人)입니다. 그리고 그들을 싸잡아 난인이라고 하는 저도 또한 난인입니다.

혜왕이 되물었어.
그럼 대체 어쩌라는 거요?

임금께서는 다만 도를 구하시면 됩니다.

그리고 그 말이 혜자에게 전해지자
그렇다면 내가 도인을 소개해 드리지.

혜자는 대진인(戴眞人)이라는 도인을 임금에게 소개했어.

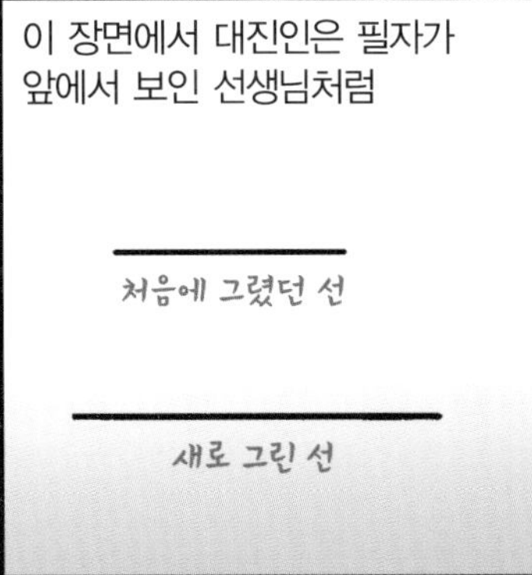
이 장면에서 대진인은 필자가 앞에서 보인 선생님처럼
처음에 그렸던 선
새로 그린 선

절묘한 비유로 혜왕의 시각을 교정하려고 시도했어.
군께서는 혹시…

달팽이를 아시는지요?
프랑스에선 먹기도 하는데….
쿵

어느 때 달팽이 한 마리가 있었습니다. 물론 그놈에게는 뿔이 2개 있었지요.

그중 왼쪽 뿔에는
촉씨(觸氏)가 나라를 세웠고,
오른쪽 뿔에는 만씨(蠻氏)가
나라를 세웠는데

어느 때 두 나라 간에 전쟁이 일어나
수만 명이 죽었답니다.
엉?

순~거짓뿌렁이!

군께서는 우주에 끝이
있다고 생각하십니까?
없소.

그렇다면 무한한
우주에서 마음을
노니는 도인의
눈으로 볼 때…
중국이라는
땅덩어리는
매우 작지
않겠습니까?

그리고 중국 땅 한 모퉁이에
위나라가 있으며
작아지네.

위나라 가운데 양(梁)이라는
도읍이 있고
더 작아져.

그 양 가운데 임금님께서
계신다고 볼 때
으악!

지금 옳다 여기는 것이 틀리는 것이 아니라는 보장이 있겠는가?

작은 수단에 매여 큰 성명性命을 상하지 마라
외물(外物)
화와 복은 왔다가도 가고 갔다가도 다시 오는 것. 그러므로 화에서 복으로 옮기려 하지 말고, 화복을 모두 버려야 한다. 그럼으로써 화복을 구하려는 작은 수단들을 모두 버리게 되면 올연히 도를 얻어 성명을 능히 보전할 수 있다.

어느 때 장자가 먹을 것이 떨어져서
쌀이 없네….

위문후에게 좁쌀을 꾸러 갔더니

문후가 장자에게 말했어.
좋소. 내가 300금을 주겠소.

단, 나중에!
세금이 다 걷히면!

이에 장자가 말했지.
내가 여기 오던 중에 뒤에서 소리가 들리더군요.

그래서 돌아보았더니 작은 웅덩이 속에 붕어 한 마리가 있었습니다.

그 붕어가 나에게 말하기를
저는 동해 신의 족속입니다요.

지금 제가 너무 급박하니 물을 조금만 주시면 고맙겠습니다만….

그래서 내가 대답했지요.
알았다. 그렇게 하지.

내가 지금 곧바로
남쪽 임금을 설득하여
저 서강의 물을
끌어들여 너를
구해 주겠다.
엥?

붕어가 화를 내었습니다.
나는 단지 물 한
말이 필요할 뿐인데
무슨 말씀?

이 이야기는 아마도 후대에
첨가된 것으로 보이는데
Story

어쨌든 장자의 살림살이는
궁할 때도 있었던 듯해.
도인도
배고플 때가!

아무려나 장자는 말했어.
화와 복은 밖에서
오는 것으로서
일정한 것이 아니다.

그래서 충신도 죽임을
당하고, 효자도 반드시
어버이의 사랑을 얻는
것은 아니다.

따라서 초나라의 현인 노래자는
공자에게 충고했어.
시비선악을
벗어나시오.

요를 성인이라 하고
걸을 폭군이라 하는 것보다,
칭찬과 비방을
그치는 것이 낫소.

이렇듯 장자는 능력으로써 화를
벗어나 복을 얻는 것보다는
福

능력을 버려 복까지 포기함으로써
얻게 되는 더 큰 복
福

즉, 초탈한 경지에 이를 것을
권했지.
초월

어느 때 송원군의 꿈에

어떤 사람이 나타나 말했어.
나는 청강의 신을 위해 심부름을 가다가
어부 여저에게 사로잡혔습니다.

그러자 점쟁이가 말했어.
그는 신귀(神龜)입니다.

그래서 알아보았더니 과연 흰 거북을 잡은 어부가 있었어.
그 거북을 나에게 바치거라.

원군은 그 거북을 놓고 고민했어.
이놈을 죽여, 살려?

그러다가 다시 점쟁이에게 묻자 점쟁이가 대답했어.
죽여서 점을 치면 길합니다요.

당시에는 거북점을 보았거든.
거북 껍질의 안쪽 면을 칼로 그어서…

갈라지는 모양새로써 점을 치게 되죠.
와! 로또 사야겠네!

그래서 송원군은 거북을 죽여 점을 치게 되었는데
거북을 죽여라!

과연 신귀답게 일흔두 번이나 점을 쳐서 모두 적중했어.
카아
신통하네!

그 일을 놓고 공자가 평했어.
그 신귀는 능력으로는 꿈에 원군에게 나타날 수 있었으나 어부의 그물은 피할 수 없었고
착

지혜로는 일흔두 번의 점괘를 맞힐 수 있었으나 제 창자가 끌어내어지는 환란을 피할 수 없었다.

지혜도 다하는 수가 있고, 신령도 미치지 못하는 수가 있는 법!

그러므로 작은 지혜를 버리면 큰 지혜가 나고

작은 착함을 버려야 저절로 큰 착함이 이루어진다!

이런 주장에 대해 혜자가 장자를 비판했어.
씨~일데없는 얘기!
어허! 이 사람….
뻥

쓸데없는 것이 있어야 쓸데 있는 것도 있는 거야.

예를 들어 대지는 한없이 넓지만 사람이 쓰는 것은 발을 디디는 데뿐.

그렇다고 해서 그곳만 남겨 두고 나머지를 모두 황천까지 파낸다면 어떻겠는가?

그렇다. 벽을 세워 빈 공간(방)을
만드는 것은

벽을 사용하자는 것이 아니라 그 빈 데를
사용하자는 것이요, 그릇은 비워져야만
무언가를 담을 수 있으니
실(實)은 허(虛)에
의하여 실이요,
색(色: 물질)은
공(空: 텅 빔)에
즉(卽)하여 색이로다!

장자가 말하고자 하는 바는 외물(外
物)에 달라붙는 욕심을 버릴 것과

수단이
목적을 해치는
우를 범하지
말라는 것이다.
사람의 몸 안에는 군데군데
구멍이 있어서 그것으로써
숨을 쉬며 살게
마련이다.

그렇다면 마음 역시
구멍이 있어야 하며

천연의 도는 그 구멍에서
노니는 법이다.

1.
고요하라.
무욕하라.
한가하라.
그러므로

2.
작은 덕과
이름을 얻으려다
그보다 소중한
성명(性命)을
상하지 말라.

옛날 어떤 사람은 죽은 아버지를 위해 울고
또 울다가 마침내 몸이 상했는데
그 일이 알려져서
엉엉
아부지!

나라에서 그에게 벼슬 자리를 주었어.

그러자 그 마을에서 초상이 나면 모두들 그를 본받아
으아아
아부지!

몸을 상하여 죽은 자가 반이나 되었지.
이놈아! 애비 생전에나 잘 할 것이지…

어떤 목표가 세워지면 그 목표를 이루려는 수단이 뒤따르게 되고
목표, 날씬한 몸매!

얼마 뒤에는 수단 자체가 또 하나의 목표가 되어
수단, 다이어트!

본래 그것이 수단이었다는 사실이 잊혀지게 되지.
굶는 게 목표야!
꼬르륵

그런 의미에서 우리는 자신에게 물어 볼 필요가 있어.
명문 대학은 목표인가, 수단인가?
돈은 목표인가, 수단인가?
명예는 목표인가, 수단인가?

그리하여 장자는 말했어.
통발은 고기를 잡는 수단이다.

따라서 고기를 잡아 목표가 달성되면

과감하게 통발을 잊어버려야 한다고 말이야.
여기에서 '득어망전(得魚忘筌)'이라는 고사성어가 나왔죠.

부귀를 취하려다 몸을 상하면 무슨 이익이 있으리
우언(寓言) · 양왕(讓王)
청빈(清貧)은 있어도 청부(清富)는 불가능하던 시대. 따라서 고대의 현자들은 한결같이 떳떳한 가난 속에서도 흔연히 즐거워할 수 있는 정신적인 경지를 제안하였다.
그 점에서 장자 또한 공자의 청빈낙도(清貧樂道)를 여러 차례 예시하는데…….

'우언' 편에서 장자는
우언!
중언!
치언!

자신의 창작법에 대해 말해.
내 작품의 열에 아홉은 우언이다.

중언(重言)은 열에 일곱이요….

기본적으로는 치언(巵言)을 쓰는데…
치언이란 자유자재로 쓰는 말을 가리킨다.

먼저 우언이란 다른 사물을 빌려 도를 말하는 것인데…

그것은 아버지가 아들을 중매 서지(남에게 칭찬하지) 않는 것과 같다.
내 아들 칭찬은 다른 아버지가 해 주어야 되듯이

예화를 빌려와서 간접적으로 말한다는 말씀!

그런데 우언이 90%이고
중언이 다시 70%가 되면
160%가 되잖아요?
우언 속에 중언이
중첩되기 때문에
모순되지 않는다.

중언이란 옛 성현의 입을
빌려 말하는 것인데
공자
가라사대…

사람들은 나이
많은 사람들을 존중하기
때문에 이런 기법이
필요하다.

마지막으로 치언이 있는데
치언은 조금 난해하다.
치언이란…

치언은 무심과 무아로써
여러 가지 이론을
조화시키는 것이다.

여기에서 장자는 후대의 선사(禪師)들을
연상시키는 어투로 말해.
대개 세상의 이론은 말하지 않으면 가지런해지고,
가지런히 하려고 말하는 순간 가지런해지지 않게 된다.
그래서 나는 말이 없다. 그러나 아주 말이 없는 것은 아니니,
말을 하되 말이 없는 것이다. 이런 경지에 서면
한평생 말해도 말함이 없게 된다.

어째서 그러한가?
그래서 그렇다.

어째서 그렇지 않은가?
그렇지 않아서
그렇지 않다.

그러니 내가 치언으로써 여러 이론을 조화시키지 않는다면
누가 능히 뒷세상에 도를 전할 것인가?

어느날 장자가 혜자에게 말했어.
공자는 나이 60이 되기까지…

60번 변했다고 하네.
결국 처음엔 옳다고 여겼던 것을 나중에는 그르다고 했단 얘기지.

그것은 공자가…
끊임없이 향상해 나아갔단 얘기겠지.

물론 그렇지. 그런데 공자는 나중에 그것까지도 초월했네.

그래서 학문과 지식을 말하지 않는 경지.
이익과 인의를 버리는 경지에까지 이르렀지.

그러니 아아, 모든 이론을 그만둘까나?
나는 그를 따라갈 수가 없구나!
공자를 폄하하다가 어느 순간 존경하게 되는 장자!

다시 장자가 예화를 들었어.
효도로 유명한 공자의 제자인 증자는…

어버이가 살아 계실 때는 3의 녹을 받고도 즐거웠지만
깡보리밥이지만 많이 드세요.
헐~

어버이가 돌아가신 뒤에는 3천의 녹을 받으면서도 슬퍼했지.
산해진미가 다 무슨 소용….

그것은 많은 녹으로도 어버이를 봉양할 수 없기 때문이었어.
나무가 조용하려 해도 바람이 그치지 않고

부모에 효도하려 해도 시간은 기다려 주지 않는다.

어느 제자가 공자에게 여쭈었어.
그렇다면 증자는 물(物)에 구속된 것입니까?

그렇다. 어쨌거나 그는 슬퍼했으니까!

물의 구속에서 벗어난 입장에서 볼 때는

3의 녹이나 3천의 녹이나 마찬가지지요, 아무리 많은 재물일지라도 한 마리 모기가 눈앞으로 지나가는 것처럼 보이는 법이다.

'우언' 편에 이어지는 것이 '양왕(왕위를 사양함)' 편이야.
왕위를….
됐거든!

현대 자본주의 사회에서는 청빈(淸貧)보다는 청부(淸富)가 예찬되지만

청부라는 것이 거의 불가능했던 고대에는
깨끗한 부자?

동서의 모든 문화권에서 청빈이 예찬되었어.
가난해도 떳떳한 삶!

고대 그리스의 디오게네스가 그런 경우의 하나인데
볕이나 가리지 마쇼!

이렇듯 물질을 등한시하는 예는 있지만
나 프란체스코!

서양에서 왕위까지 사양하는 경우는 거의 없었어.
그럼 중국에서는?

그에 비해 중국에서는 역사가 시작될 때부터 선양의 전통이 있었지.
선양은 자기 자식이 아닌, 자질이 뛰어난 사람에게 왕위를 이어 주는 것!
내 아들은 왕의 자질이 없으니 그대가 …

고대의 성군으로 꼽히는 요(堯).

요는 허유에게 천하를 넘겨 주려 했어.
당신이 나를 이어서 왕을….

그러나 허유는 받지 않았는데
에~이, 더러운 소릴 들었다!

그래서 요는 하는 수 없이 자주지보(子州支父)에게 왕위를 제안했어.
당신이 대타로….

그러나 지보도 사양했어.
고맙긴 합니다만 저는 병이 있어서….
흥! 무좀도 병이냐!

그래서 결국 순(舜)이 요를 이어 임금이 되었는데
제발 왕 좀 해 주게!

순은 늙게 되자 선권(善卷)에게
천하를 물려주려 했지.
당신이
적임자요.

그러나 그것을 받으면 선권이
아니지.
나는 천지 사이에
소요하며 즐겁소.

슬프다! 당신은 나를
모르는구려!

그래서 농(農)에게 물려주려
하였더니 농이 말했어.
당신은
악착스럽지만…

나는 사람이
워낙 물러터져서
안 되오.

그러고는 가족을 이끌고
바닷가로 숨어 버렸다고 해.
떠나요 제주도
모든 것 훌훌 버리고..

장자는 말했어.
대개 천하는 매우
중한 것이다.

그러나 천하를 얻고 제 생명을
잃을 수는 없지 않겠는가?
천하
생명

옛말에 도로써는 몸을 다스리고,
그 찌꺼기로 천하를 다스린다고
하였다.

그런데 지금의 사람들은
몸을 위태롭게 하면서까지
외물(外物 부귀영화)을
따르니 어찌 슬프지
않은가!
부귀영화

만약 어떤 사람이 천 길 절벽 위에
앉은 새를 잡으려고 값진 구슬을
돌멩이 삼아 던진다면
저런
다이아를….

세상 사람들은 반드시 비웃을 것이다.
새 잡았다!
저~ 바~보!

그런데도 구슬보다 귀중한 목숨을 던져
부귀영화를 구하는 사람들아!
어찌 가엾지 않은가!

어느 때 가난하게 사는 열자를 보고
그의 친구가

정나라의 재상에게 가서 사정을
말하자
도가 높은 사람이
굶고 있소이다.

재상이 곧 곡식을 보냈어.

그러나 열자는 그것을
거절하였는데
고맙긴 하오만
도로 가져가시구려.

그의 아내가 원망하며 말했지.
도가 있는 사람은
이렇게 굶주리게
되어 있나요?

그러자 열자가 대답했어.
그는 남의 말을
듣고 내게
곡식을
보냈으니

같은 방식으로
남의 말을 듣고
나를 해치기도 하지
않겠소?

그러니 처음부터
그의 호의를 받지
않는 것이 현명하오.

과연 얼마 후 백성이 난을 일으켜
정승을 죽였지만
열자는 무사했어.
거봐!
내가 뭐랬어?

원헌(原憲)은 공자의 제자인데
매우 가난하여

비가 새는 허름한 집에서 살았어.
비가새는 판자집에
새~우 잠을…

그런 집에서 그는 편안한 모습으로
거문고를 타며 즐겼어.
내일은 해가 뜬다
내일은…

자공(子貢) 또한 공자의 제자로서

재주가 비상하여 많은 재산을
모았고
고래등이네….

대부(大夫)의 지위에 올랐을 뿐
아니라, 언변 또한 능란한
사람이었어.
쏼라
쏼라

어느 날 자공이 큰 수레를 타고
원헌을 찾아왔는데

사립문이 좁아 집 안에 들어갈 수
없었어.
거참! 대형
주차장을 마련해
놔야지.

자공이 원헌에게 말했어.
선생은
어찌 이리
병드셨소이까?

원헌이 대답했지.
재산이 없는 것을
가난이라고 하고, 배우고도
그대로 행하지 못하는 것을
병들었다고 합니다.
나는 가난한
것이지 병든 것은
아니옵시다.

나는 차마
선생님으로부터
배운 것을 이익과 바꾸지
못하겠소이다.

어느 때 공자가 안회에게 물었어.
너는 가난하고 지위도 없는데 왜 벼슬을 하지 않느냐?

그러자 안회가 이렇게 말했어.
저는 성 밖에 약간의 밭을 가지고 있습니다.
또한 성 안에 좁은 집이 한 채 있습니다.

저는 이 두 가지로써 죽을 끓여 먹고 삼베옷을 해 입습니다.

세 번째로 저에게는 거문고가 하나 있사온데

이것을 타면서 선생님의 도를 배워 즐거워할 수 있으니 만족합니다.

공자가 감탄했어.
좋구나! 너의 뜻이!

만족할 줄 아는 사람은 이익 때문에 얽매이지 않고
마음을 닦은 사람은 지위가 없어도 부끄러워하지 않는 법.

내가 이제 회를 보고서 이 말의 참뜻을 아는구나!

다시 장자는 말했어.
공자의 제자 증자는…

사흘을 굶기도 하고 옷 한 벌로 10년을 살기도 하고
꼬르륵

팔꿈치가 드러난 옷에 뒤축 없는 신을 신고도
그가 아름다운 옛 시를 읊으면 그 소리는 금석(金石)과 같아서
천지에 가득 차곤 하였다.
그리하여 천자도 그를 가두어 신하로 할 수 없었고,
제후도 그를 붙잡아 친구로 삼지 못하였다.
아~, 탕임금의 거룩하신 덕이여!

그래서 장자는 말했지.
마음을 기르는 사람은 몸을 잊고,
몸을 기르는 사람은 물질을 잊고,
도를 얻는 사람은 마음을 잊는다.

일찍이 공자는 말했어.
거친 밥 먹고 맹물을 마셔도…
도를 닦는 즐거움은 그 가운데 있다.

공자는 또 말했지.
날씨가 추워진 다음에야 소나무와 잣나무가 더디 시드는 것을 안다.

이렇듯 도가 아니면 부귀영화도 취하지 않고
나는 싫어!

도와 더불어 유유자적, 청빈낙도하는 삶은
오리나 키우며 조용히….

공자든 장자든 한결같이 이상으로 삼는 경지였던 거지.
청빈!
낙도!

헛되이 명리名利를 구하지 마라
도척(盜跖)
공자는 이익을 추구하는 소인이 되지 말고 인의를 추구하는 군자가 되라고 가르치지만 장자는 그런 군자 또한 되지 말라고 충고한다. 장자는 그런 주장을 유명한 도둑인 도척의 입을 빌려 공자를 공격하는 형식으로 전개한다.

유하계(柳下季)는 노나라 사람으로서 공자와 친구 사이였어.

그러나 그가 현자로 존경을 받는 데 비해 그의 아우인 도척(盜跖)은

9천 명의 수하를 거느린 도둑의 괴수였지.
그래, 나 도둑님이다. 어쩔래?

그의 횡포가 극에 다달아 천하 사람들이 모두 괴로워하고
도척 온다, 뚝!
뚝

제후들까지도 경계하기에 이르니
도척 온다, 비상!

공자가 유하계에게 말했어.
선생은 천하의 높은 선비로서

어찌 동생 하나를 잘 계도하지 못하신단 말입니까?

이에 유하계가 대답했지.
내 아우는 가르쳐서 바로잡을 수 있는 위인이 아니올시다.

그렇다면 내가 가서 가르치리다.

공자는 유하계의 만류를 뿌리치고
제자들과 함께

도척을 찾아가니 그는 사람의 간을
회 쳐 먹고 있었지.
너희가
이 맛을 알간?

공자를 본 도척이 소리쳤어.
노나라의
협잡꾼이 왔군!

만일 네가 하는 말이
내 뜻에 맞지 않으면
너를 죽이겠다.

공자가 말했어.
이제 장군은 키가
여덟 자에 얼굴은 붉으며
목소리는 큰 종소리
같은데…

도둑으로 이름이 알려지니
부끄럽지 않습니까?

내가 여러 나라
임금들에게 부탁하여
장군에게 높은 작위를
주고자 합니다.

그러자 도척이
크게 화를 내었어.
너는 지금 나를
이익으로 꾀고자 하지만
그것들이 무에 그리
중요하단 말이냐?

요와 순은 천하를
가졌어도 자식에겐
물려줄 땅 하나 없었고

탕과 무는 임금이
되었어도 후사가
끊어졌으니

이것은 그들이 너무
큰 이익을 차지했기
때문이 아니냐?

도척은 계속 공자를 호되게 꾸짖었어.
이제 너는 문왕·무왕의 도로써 천하를 가르치고 있다. 소매 큰 옷에 좁은 띠를 띠고, 높은 말과 거짓 행동으로써 임금들을 미혹시키니, 도둑으로서 너보다 더 큰 도둑이 없는데, 세상 사람들은 너를 도구(盜丘: 丘는 공자의 이름)라고 부르지 않고, 나만 도척이라고 부르는구나!
천하의 도둑놈!

너는 난폭한 무인인 자로를 설복하여 제자로 삼아
나, 자로!

그가 칼을 버리고 선비가 되니
나, 공자님 제자!

천하 사람들이 말하기를
공자는 능히 사나움을 굴복시킨다!

그러나 그 끝에 이르러 자로는 위나라에서 난을 만나 몸이 두 토막이 되니

이것은 너의 가르침에 부족한 바가 있기 때문이다.

너 자신만 해도 그렇다.

너는 자신을 제법 성인이라 여기지만
위대한 공자!
성인 군자
….

노나라에서 두 번 쫓겨났고
오늘 새벽 공자는 두 번째 망명길에….
NEWS

위나라에서 발자국이 깎였으며

제나라에서 궁지에 몰렸고

진 · 채 사이에선 포위를 당하니

이렇듯 자신은 물론 제자까지도
다스리지 못한 형편에

어찌 도를 논할 수 있단 말이냐?

사실 그것은 그대가 높이고
세상 사람들이 높이는
이들 또한 마찬가지.

요는 사랑이 없었고
아들 단주에게
왕위를 주지 않음!

순은 효성이 미치지 못했으며
아버지가 순을
미워하였음.

우는 반신불수가 되었고
치수(治水)에
몰두하다가 과로하여.
치수…
치수…

탕은 주인을 배반하였고
임금을 치고 스스로
임금이 됨.

문왕은 감옥에 갇힌 적이 있고
임금에게 옳은
말을 하다가.

무왕은 제 임금을 쳤다.
폭군이 주(紂)를
방벌(放伐).

이상은 성군 · 명군들이지만
충신 · 명신들 또한 마찬가지.

백이 · 숙제는 굶어죽었고, 포초는 나무를 안고 죽었으며

신도적은 돌을 지고 강에 빠져 죽었고

개자추는 불에 타서 죽었으며
고집쟁이…
개자추!

미생은 다리 기둥을 안고 죽었다.

이상 여섯 사람은 개나 돼지처럼
죽은 것이니

쪽박을 들고 밥을 비는 거지처럼
밥!

이름을 빌다가 그리 된 것으로서
명성!
名

본성을 기르고 목숨을 온전히
보존하는 면에서 볼 때는

전혀 본받을 데가 없는 것이다.

구(丘)야, 그러니
내가 가르쳐
주겠다.

사람은 길게 살면 100년,
제법 산다 해도 60년을 살 뿐인데
엥?
나…
100살!

앓는 일, 죽는 일, 근심하는 일을
다 빼고 나면

유쾌하게 보내는 날은 한 달에
4, 5일밖에 되지 않는다.
행복은 고통의 바다에
점점이 박힌 섬과도
같나니.

한정 있는 사람의 몸으로 천지 사이에
처하는 기간은

마치 빠른 말이 문틈으로 지나쳐
가는 듯이 짧은 것.

그러니 그 짧은 기간 이익을
취하지 마라.
돈!
이익!
출세!
NO!

이름 얻기도 구하지 마라.
권력!
명예!
NO!

다만 마음을 즐겁게 하고
목숨을 잘 기를지니

너는 빨리 돌아가라. 다시는
내게 말하지 마라.

이에 공자는 넋을 반쯤은 잃어버려서

얼굴이 식은 재처럼 되어

숨도 제대로 못 쉬고 쫓겨왔다나
어쨌다나?
휘유우

왕이라면 왕다운 칼을 쓰라
설검(說劍)
이 편은 장자가 직접 썼다기보다는 후대에 장자의 이름을 빌려서 쓴 작품으로 보인다.
어찌되었든 이 편에서 장자는 능숙한 비유로써 천자의 검, 제후의 검, 서인(庶人)의 검을 논하는데…….

조나라의 혜문왕(惠文王)은 칼을 좋아하여

그에게 모여든 검사의 수가 3천 명이나 되었어.
저놈은 횟집 주방장 아냐?

그들에게 검투를 시키고 그를 즐기는 혜문왕.
싸워라!
죽여라!

그리하여 한 해에만도 죽고 상하는 자가 100여 명이나 되고
사상 유례 없는 호황입니다.
장의사
OSD

그러기를 3년 만에 국력이 크게 쇠하였다.
낑낑
망할! 검투 경기장을 또 증축한대!

이에 이웃나라가 조나라를 넘보게 되니
저걸 걍 한 입에….

태자가 이를 걱정하여 신하들에게 물었어.
무슨 수가 없겠소?

이에 신하들이 장자를 추천했지.
그라면 임금님의 마음을 돌릴 수 있을 겁니다.

그리하여 태자는 장자를 찾아가
천금을 주면서
사례는 충분히
할 테니…

간곡히 부탁했어.
**제발 나를
도와 주시오.**

이에 장자는 보상은
거부하였으나
알겠습니다.
하지만 돈은
그만두십시오.

태자와 약속을 하고,
며칠 후에 검사 복장을 한 채
어울리우?

궁궐에 도착하여
태자와 함께
임금을 만났어.

임금이 물었어.
그대가 나에게
가르쳐 줄 게
있다고?

예. 임금께서
칼을 좋아하신다고
하니…

칼에 대해 한 말씀
드리고자 합니다!

그대의 솜씨는
몇 사람을 상대할 수
있는가?

사람을 베면서
천 리를 가도 막을 자가
없습니다.

이에 임금은 크게 기뻐했어.
오!

그대는 숙소에 가서 쉬라. 내가 그대의 검술을 시험해 보리라.

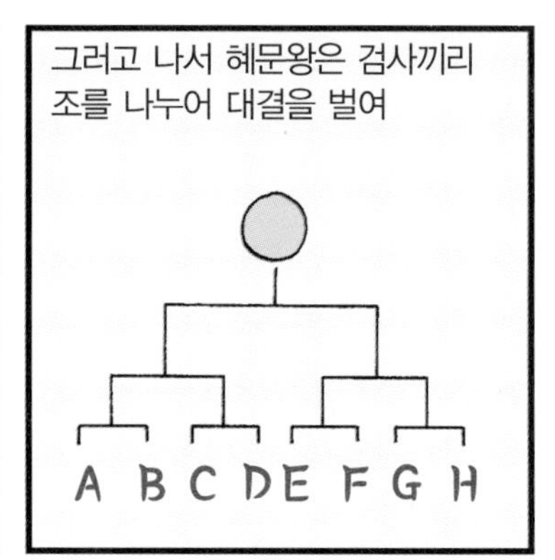
그러고 나서 혜문왕은 검사끼리 조를 나누어 대결을 벌여
A B C D E F G H

60여 명이 죽고 상하는 결투 끝에 6명의 검사를 뽑아
으랏차

그들을 불러 칼을 주면서 엄숙한 의식을 행했어.
일동~ 검례(劍禮)!

그러고 나서 장자를 불러 말했지.
오늘 그대의 칼솜씨를 보고자 하오.

기다리고 있었습니다.

그래, 그대는 어떤 칼을 쓰는가? 긴 칼? 짧은 칼?

저에게는 세 가지 칼이 있는데, 그중 하나를 골라 주십시오.

어떤 칼이기에
1. 천자의 칼!
2. 제후의 칼!
3. 보통 사람의 칼!

여기서부터 장자는 화려한 비유를 펼쳐 보였어.
천자의 칼은 연(燕)나라의 연계(燕谿)와 새외(塞外)의 석성(石城)으로써 칼끝을 삼고(연나라는 중국의 북쪽 끝에 있으므로 칼끝이라 함)
진나라와 초나라로써 칼등을 삼고
제나라의 대산(岱山)으로써 칼날을 삼고(제나라는 연나라보다 약간 남쪽에 있음)
한나라와 위나라로써 손잡이를 삼아서

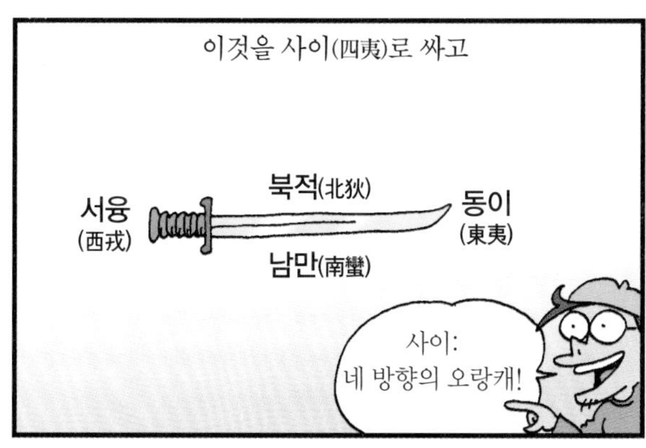
이것을 사이(四夷)로 싸고
북적(北狄)
서융
(西戎)
동이
(東夷)
남만(南蠻)
사이:
네 방향의 오랑캐!

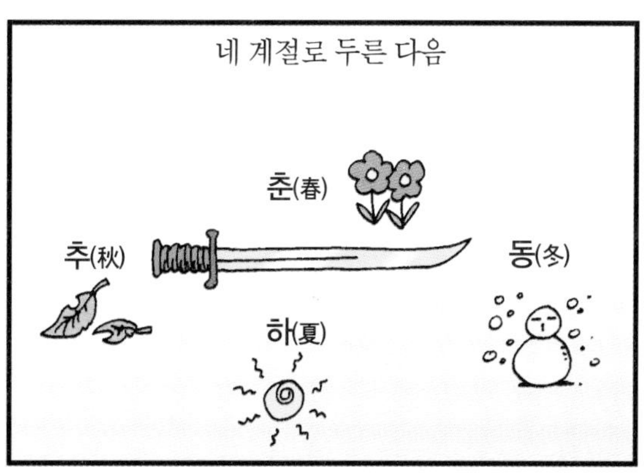
네 계절로 두른 다음
춘(春)
추(秋)
동(冬)
하(夏)

발해(渤海)로 둘러치고

상산(常山)으로 띠를 삼아

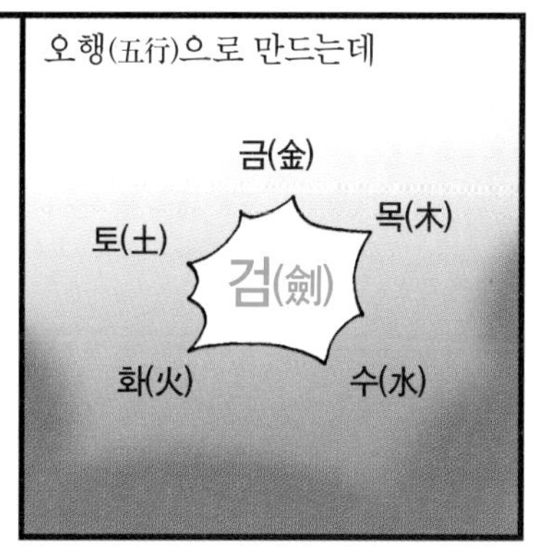
오행(五行)으로 만드는데
금(金)
목(木)
토(土)
검(劍)
화(火)
수(水)

봄과 여름처럼 화(和)하고

가을과 겨울처럼 위엄이 있으므로

이것을 앞에 세우면 당할 자가 없고
에그, 무시라!

이것을 위에 들면
걸릴 것이 없으며
으이, 무서워!

이것을 휘드르면 막을 자가 없고

위로는 구름을 헤치고

밑으로는 땅을 두 동강 내어
촤악

이 칼로써 뭇 제후를 바로잡고
차럿~

천하가 항복하게 됩니다.

이에 혜문왕은 잠시 넋을 잃었다.

두 번째로 장자는 제후의 칼에 대해 논했어.
제후의 칼은 지혜롭고 용기 있는 선비로써 칼끝을 삼고,
청렴한 선비로써 칼날을 삼고,
어질고 착한 선비로써 칼등을 삼고,
충성스럽고 밝은 선비로써 칼의 콧등을 삼고,
호걸스런 선비로써 손잡이를 삼습니다.

이 칼을 쓰면 우레가 울고
번개가 치는 것 같아서
꽈릉

사방의 다른 제후들이
굴복해 오게 됩니다.

그에 비해 보통 사람의 칼은
풀어헤친 머리에 일어선 구레나룻,
숙은 갓에 굵고 험한 갓끝,
깃이 짧은 옷을 입고 고함을 지르면서
남의 간이나 폐를 찌릅니다.

한마디로 말해서 닭싸움 같은 것이지요.

이에 혜문왕은 부끄러워 밥을
먹지 못하였고
이 무슨
창피!

그가 검투를 중지하자 검사들은 분한 나머지 모두 자살했다는 이야기.
역시 혀는
칼보다 강한 것!

감출 줄 모르는 덕이 도리어 사람을 해친다

어부(漁父) · 열어구(列御寇)

눈에 보이는 공적으로써 남에게 덕을 베풀고도 도리어 화를 당하는 경우, 세상 사람들은 공적과 덕에 눈을 팔지만 장자는 그것의 뒤끝에 주목한다. 이렇듯 장자는 공적과 덕이라는 인간 차원의 길이 아닌, 그것을 잊고 넘어서는 하늘의 도를 가르친다.

자로가 대답했어.
저분은 노나라의 군자이십니다.

성은 무엇이라 하오?
공씨지요.

직업은 무엇인지요?
나 자공이 대답하리다.

저분은 마음으로는 충을 생각하고
忠

몸으로는 인의를 행하며

예악을 닦아 잘 갖추고, 인륜을 정하여 장차 천하를 이롭게 하려는 것입니다.

그럼 저분은 임금입니까?
아뇨.

높은 관직을 가졌나요?
아뇨.

이에 어부는 웃으며 돌아서더니
허허

가만히 중얼거렸어.
어질기는 하다 그러나 몸의 화를 면키는 어렵겠다.

그래서 자공이 돌아가 스승에게 고하니
저 어부가 이런 말을…

공자가 거문고를 밀치고 말했어.
그이는 아마 성인인가 보다.

공자는 황급히 어부를 뒤쫓아가 뱃전에서 두 번 절했어.
나에게 무엇을 구하려는 게요?

조금 전에 저의 제자에게 하신 말씀을 잘 풀어서 설명해 주시면 공손히 받들겠습니다.

아아! 그대는 배우기를 몹시 좋아하는구나!

저는 젊어서 배우기를 시작하여 이제 예순아홉이 되었습니다.
경로증

이에 어부가 공자에게 말했어.
그대가 하고 있는 것은 이른바 사람의 일이다.

그런데 그대는 임금도 아니고 권세도 갖고 있지 않은 사람으로서

마음대로 인륜을 정하고 예악을 갖추어 백성을 교화하고자 하니
이는 분에 넘치는 짓이다.

사람에게는 여덟 가지 험과 네 가지 병이 있다.
8험
4병

제가 해야 할 일이 아닌데 억지로 하는 것이 험(總:총)이요
이건 자네 일이 아닌데….
시끄러워! 나도 할 수 있다니깨!

스스로 자신을 천거하는 것이 험(佞:영)이며
저로 말씀드릴 것 같으면!

남의 말에서 나의 말을 끌어 내는 것이 험(諂:첨)이요
키르케고르에 따르면….

분별을 모르고 지껄이는 것이 험(諛:유)이며
그 사람 알고 보니 순 사기꾼이야!

남의 잘못을 즐겨 말하는 것이 험(讒:참)이요
저 여자 남편의 삼촌의 부인이 전과 3범이라지 뭐야….

친한 관계를 벌어지게 하는 것이 험(賊:적)이며
저놈은 돈 때문에 너를 사랑한 척한 거라니깐!

거짓으로써 남을 악에 빠뜨리는 것이 험(慝:특)이요
글세 이 땅은 아무 문제 없다니까요!
개발 제한 구역

좋은 말로써 남의 비밀을 캐내는 것이 험(險:험)이며
아잉~ 오빠! 우리 사이에 비밀이 어딨어…. 응? 응?

또, 큰 일을 맡아 법을 고침으로써 이름을 높이는 것이 병(叨:도)이요
이번 법 개정은 저의 강력한 추친력의 결실로….

사사로운 지혜로써 남의 이익을 빼앗는 것이 병(貪:탐)이며
머리만 잘 굴리면 저놈이 가진 걸 몽땅….

자기 잘못을 고치지 못하는 것이 병(很:흔)이요
반성? 나의 사전에 반성이란 단어는 없어!

제 뜻에 맞으면 좋다 하고 맞지 않으면 싫어하는 것이 병(矜:긍)인 것이오.
될까 말까 한 판에….
여!
야!

이상 8험과 4병을 고치고서야 참으로 배울 수 있는 것!

당신은 아직 높은 도를 배울 자격이 없소.

공자가 슬퍼하며
탄식했어.
제가 노나라, 위나라, 송나라, 진나라, 채나라에서 번번이 곤욕을 당하였는데…
그 까닭이 무엇이겠습니까?

어부가 말했어.
어떤 곳에 제 그림자를 미워하는 자가 있었소.

그는 그림자로부터 도망치려고
달아났고
뛰자!

그래도 되지 않자 더욱더
빨리 뛰었소.
더 빨리 뛰자!

그러나 발을 드는 족족 그림자도
들리고
들자!
나도!

몸이 빠르면 그림자도 함께 빨라졌소.
으아아
도저히 저놈을 떼어 놓을 수가 없어.

그리하여 마침내 그는 죽었다 하오.

그렇다면 그림자를 그치게 하는
방법은 무엇이겠소?

그저 그늘 밑에 가만히 있는 것

그것이 그림자를 내지 않는
비법인 것이니

도의 이치 또한 멈추고 쉬는
거기에 있는 것이오.

그런데도 그대는 인의를 내세워
그 사나이처럼 달리면서
仁義

남들 또한 달리라고 재촉하고 있으니
仁義

그래 가지고서는 거의 화를 면키
어렵지 않겠소?

이에 공자가 감복하여 제자 되기를
청했어.
부디 저를
제자로….

그러나 어부는 거절했지.
그대는 나의 도를
깨달을 수 없소.
그저 하던
공부나 하시오.
난 떠나리다.

그러고 나서 어부는 배를 띄워 갈대
사이로 떠났는데
바~이.

공자는 그가 사라질 때까지 망연히 바라보며 서 있었어.
아아
싸부…

수레에 올라 돌아오는 길에 자로가
물었어.
선생님을 대할 때는
임금일지라도 공손히
마주하여 예를
행하였습니다.
그리고 선생님
또한 의젓하게
대응하셨고요.

그런 선생님께서 일개
어부에게 절을
하다니요?

그러자 공자가 대답했어.
저 어부는 도가 있는 사람이다.
내 어찌 공경하지 않을 수 있겠느냐?

그렇지만 이 편과 함께 앞에 나온 '양왕', '도척', '설검' 등 세 편은 장자의 친작이 아닌 위작이라는 것이 정설이야.
양왕
도척
설검
어쩐지 허술해 보이긴 해!

그에 비해 다음 편인 '열어구'는 장자의 친작으로 보여.
원조
짝퉁
구별들 잘 해!

열어구, 즉 열자는 노자와 장자를 잇는 도가 사상가야.

그리고 도가가 불가와 유사하게 겉으로 드러난 선행이나 공적보다

그 선행과 공적을 행하는 순수한 마음가짐.
아, 익명으로 이런 거액을…!
이웃돕기

즉, 마음에 자취가 없어야 함에 주목한다는 것은 이미 말했지.
주는 물건이 없이, 주는 사람이 없이, 받는 사람도 없이!
마음에 자취가 없이!

하긴 예수 또한 말했어.
기도는 남이 안 보는 데서 하라!

그리고 그런 이치를 열자 또한 알았던 듯해.

어느 때 길을 나섰던 열자가 곧 되돌아오자 스승인 백혼무인이 물었어.
왜 가던 길을 되돌아왔느냐?

제가 길을 가던 중 열 번이나 물건을 샀는데
이상하게도 모두가 다 돈을 받지 않았습니다.

그냥 가져가시오!

그리하여 장자는 말했어.
도를 알기는 쉬우나 말하지 않기는 어렵다.

성인은 꼭 해야 할 일이 없어서 마음속에 다툼이 없다.

지인은 정신을 무시(無始: 시작이 없음)에 두어 편안히 쉰다.

노애공이 공자를 중용하려 하자
그 양반이 유능하다며?

안합(顔闔)이 만류했어.
안 됩니다. 위험천만한 일입니다.

그는 말을 아름답게 하려 애쓰고, 일을 빛나게 하려 꾸미는 자입니다.

그를 쓴다면 백성은 그의 덕을 기억하여 잊지 않을 것이요
오~ 공자님

그럼으로써 진실을 잊고 거짓에 물들 터이니
우리도 말을 번지르르하게 하자고!

공자의 수준은 하늘이 만물을 내고도 무심한 경지에 비하면 매우 작은 것입니다.

그리하여 다시 장자는 말했지.
사람의 마음을 해치는 것은 부덕(不德)이지만 그 해는 작고…

더 큰 해침은 덕을 베푼 다음 그것을 자랑하는 것이다.
내가 봉사활동을 어쩌고 저쩌고…

사람을 해치는 것 가운데 중덕(中德 : 마음)이 가장 무서운 법!

그리하여 감출 줄 모르는 사람에게는

아름다운 얼굴, 큰 키, 센 힘, 유창한 말, 사나운 용기,
줄기찬 과단성 등이 모두 제 스스로를 해치기에 이르고 만다.
흥!
재수 없어!

그러므로 남에게
뒤처져라.
지혜를 버려라.
자기 주장도
세우지 마라.
용기를
포기하라.
겁 많은 것처럼
항상 두려워하라.
인의를
따르지 말라.

다만 자연에 순응하여 사람이 아닌
하늘의 법도에 따르라.

어떤 사람이 송나라 임금에게
수레 열 대를 상으로 받았어.
와우

그러자 장자가 말했어.
어느 때 한 사나이가
용의 턱 밑에 달린 구슬을
얻었다네.

그러자 그의 아비가 이제 용이
성을 낼 테니 빨리 그것을
내다 버리라고 호통쳤다네.

이제 자네에게 수레를 준 임금은
용보다 더 무서운 자가 아닐까?

빨리 그 수레를 부숴 버리게나!

마지막으로 이 장에는
장자가 죽을 때의
장면도 있어요.
34쪽
이하를
보세요.

천하의 여러 학파를 비난함

천하(天下)

《장자》의 후서(後序)라고 할 만한 이 장에서 장자는 묵적·금활리·송견·윤문·팽몽·전병·신도·혜시·공손룡 등 여러 학자를 비판하고, 관윤, 노자와 함께 자신의 학설이 가장 뛰어난 것임을 주장한다.

사람이 죽어도 상례는 최소한으로
간소하게 하였다.
그런 시간 낭비,
물자 낭비를, 왜?

또한 묵자는 자기에게는 엄격하고
남에게는
성내지
않아
모두가 다 내 탓이여,
내 탓!

널리 사랑하고(汎愛:범애) 함께
이로운(兼利:겸리) 것을 추구하였다.
그 점은
나와 비슷?

그러나 노래해야 할 때 노래하지 않고
묵묵….
재가 분위기
망치네.

울어야 할 때 울지 않으면
인정에 어긋난다.
역시
묵묵….
아이고
엉엉

또한 살아서는 부지런히
괴로워하다가
에구! 매일매일이
전쟁이다,
전쟁!

죽어서는 허술한 상례로
대접하니 슬프지 않은가?

이같은 가르침은 뜻은 옳다
하겠지만 행동은 잘못된 것으로서
뜻
행동

그들은 재사(才士)일 뿐
성현이라고 할 수는 없다.

한편 송견(宋鈃)·윤문(尹文) 등의
무리는

밖으로는 싸움을 금하고 무기를
쉬게 하며

안으로는 정욕을 줄여 자기를
이기라고 가르친다.
극기!
절제!

또한 나보다 남을 먼저 위한다는 명분 아래
나의 행복
남의 행복

선생과 제자가 함께 굶주리게 되었으니
남은 행복, 나는 가난!

이 또한 어진 이가 취할 길이 되지 못한다.
한쪽으로 치우쳤어!

세 번째로 팽몽(彭蒙)·전병(田駢)·신도(愼到) 등의 학설이 있다.

이들은 공정하여 당(黨)을 만들지 않고
민주당도 공화당도 난 싫여!

의견이 없이 고집하지 않는 것을 주장하였다.
노 코멘트!
몰러 몰러.

신도는 말한다.
앎을 버리고 자기를 없애라.

세상 되어 가는 대로 맡겨라. 마치 회오리바람처럼 또는 공중에 나는 새털처럼 살라.
그래 가지고서야 산다고 할 수 있을까?

전병은 팽몽에게서 '말 없는 도' 라는 것을 배운 뒤에
不言之敎
(불언지교)

옳다고도 않고 그르다고도 않으니
是非不問
(시비불문)

그것은 죽은 사람의 도일지는 모르나 산 사람의 도라고는 할 수 없다 하겠다.
떽!
여기는 인간 세상이라고!

그리고 여기 관윤(關尹)과 노담(老聃 : 노자)의 학설이 있다.
자기를 지켜 고집함이 없고,
물(物)의 자연을 따라 스스로 나타낸다.
거울처럼 공하고 메아리처럼 응한다.
남의 앞에 서지 않고 항상 뒤를 따를 뿐이다.
관윤
노담
숫컷을 알면서(유능하면서)
암컷을 지키면(숨어 지내면)
천하의 골짜기가 되고,
흰 것을 알면서(낮은 곳에 있으면서)
더러운 것을 지키면(쌓아 두지 않으면)
천하의 큰 골짜기가 된다.

또한 노자는 말했다.
나는 알맹이를 버리고 빈 껍질을 갖는다.

나는 간직하지 않는다.
그래서 도리어 남는 것이 있다.

단단하면 부서지고,
날카로우면 꺾이는 법!

나는 사물에 순응하여 내 몸을
온전히 보존한다.

이 같은 가르침이 참으로 옳다.

이들이야말로 옛날의 진인(眞人)이라 해야 마땅하다.

그 다음으로 장자는 장자 자신의 입장을 천명했어.
행동이 적막하여 자취가 없고,
물(物)을 따라 변화하여 떳떳함도 없다.
죽음도 없고 삶도 없다.
천지신명과 활동을 함께한다.
아득히 어디론가 가고,
황홀하게 어디론지 사라진다.

장주(장자)는 전래되어 오는 이런 주장을 기뻐하여 이를 확장했다.
'천하' 편은 후대의 사람이 쓴 것인지도 모른다는 학설이 있지요.
아마도!

그리하여 비고 먼(虛遠) 말과 넓고 큰(廣大) 주장으로써 무애(無涯)를 내세우며

아무데도 구속받지 않는 것과 한쪽에 치우치지 않는 것을

치언(巵言)·중언(重言)·우언(寓言)으로써 능수능란하게 전개하니
쏼라라

그는 위로 조물주와 함께 놀고, 아래로는 생사를 벗어난 지인(至人)과 짝하였다.
우린 벗!
우린 동기!

한편 장자의 친구인 혜시(惠施)는
프렌드!

주장이 너무나도 많아 저서가 다섯 수레나 돼.

그러나 그의 도는 순수하지 못하고 이치에도 맞지 않다.

그는 주장했다.
지극히 큰 것은 밖이 없으니 대일(大一)이라 한다. 지극히 작은 것은 안이 없으니 소일(小一)이라 한다.

소일은 쌓을 수 없으나 크기는 천 리가 되어 대일에 이른다.
양자물리학에서 천체물리학으로?

그는 또 이상한 논설을 펼친다.
하늘은 땅보다 낮고, 산은 평평하다.

해가 중천에 있을 때는 저녁 무렵이다.
살아 있다는 것은 곧 죽어 있다는 것이다.
도대체 무신소리?

오늘 월나라에 간 것은 어제 월나라에서 온 것이다.

혜시는 이것으로써 천하를 대관(大觀)했다고 자부하면서 남을 가르쳤는데
나한테들 배워!

그러자 그들은 모여 말했다.
달걀에 털이 있다.
닭의 발은 3개다.

개는 양이다.

말에게는 알이 있다.

개구리 꼬리가 있다.

불은 뜨겁지 않다.

산이 말을 한다.

수레바퀴는 땅을 밟지 않는다.

직각자는 각이 없다.

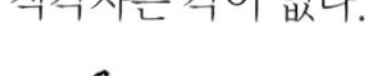

구멍은 마개를 둘러싸지 않는다.

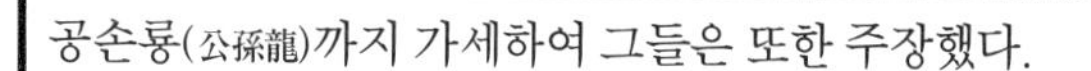

나는 새의 그림자는 움직이지 않는다.

개(狗)는 개(犬)가 아니다.

누런 말과 검은 소는 합이 셋이다.

흰 개는 검다.

고대 그리스의 소피스트들에게도 이와 유사한 주장이 보이는데

어쨌거나 그들은 사람의 입은 이길 수 있었지만 마음을 항복시킬 수는 없었단 말씀!

장자의 사상을 이어간 사람들

노자가 창시한 도가 학파를 풍성하고 다채롭게 전개한 장자의 사상은 세속의 부패와 타락에 염증을 느낀 지식인들에게 큰 위안처를 제공했어요. 그러다 보니 권력 투쟁에서 밀려나 초야에 묻히게 된 선비나, 처음부터 세속에 관심이 적었던 지식인들이 특히 장자의 사상을 애호했어요.

또 장자 사상은 노자의 사상과 묶여 신선 사상으로도 발전하기도 했어요. 이렇게 되어 철학이었던 도가(道家)가 종교로 바뀐 것인데, 종교로서의 도교(道敎)에서는 노자를 태상노군(太上老君)으로, 장자를 남화진인(南華眞人)으로, 장자의 작품 《장자》를 《남화진경(南華眞經)》이라고 불렀어요.

그러나 진정한 의미에서 장자의 후예로 꼽아야 하는 이들은 불교의 선사(禪師)들이었다고 할 수 있어요. 선(禪)은 흔히 "인도의 씨앗이 중국의 땅에서 자라난 것"이라고 일컬어지는데, 이때 '중국의 땅'이라는 것은 곧 장자의 사상이라는 의미예요.

장자의 영향은 예술 분야에서 더욱 두드러졌어요. 문학의 경우 중국을 대표하는 시인들, 예를 들어 시인 도잠(陶潛: 도연명)과 이백(李白: 이태백)은 도가 사상에 바탕을 둔 은일(隱逸, 조용히 숨어서 지냄) 풍의 시를 많이 발표함으로써 또다른 장자의 후예가 되었고, 미술에서는 은둔자들을 그린 수많은 옛 그림에서 장자 사상의 영향을 발견할 수 있어요.

장자

김정빈 글 | 김덕호 그림

01 장자는 《장자》에서 자신의 뜻을 펼칠 때, 이야기 속에 뜻을 담는 형식을 이용하였습니다. 오늘날의 우화 형식이라고 할 수 있는 이 형식을 무엇이라고 할까요?

① 비유　② 설명　③ 회상　④ 우언　⑤ 수필

02 장자는 공자와 맹자, 천명사상으로 이루어진 중국 사회의 주류에서 벗어나 비주류에 있던 사람이었습니다. 아래 중국 사회의 비주류 흐름에서 마지막 괄호에 들어갈 말은 무엇일까요?

중국 사회의 비주류

무위사상 ➔ 서민 중심 ➔ 심리적·내적인 힘, 은둔 ➔ 노자, 장자 ➔ (　　　　)

① 공맹 사상　② 유가 사상　③ 노장 사상　④ 불교　⑤ 동학

03 장자는 인간이 겪는 많은 모순들은 인간 스스로 많은 사물에게 이름을 붙인 다음, 그것들을 각각 크다느니 작다느니 희다느니 검다느니 가르고, 이것과 저것은 다르고 저것은 이것에 비해 옳거나 그르다는 등 구별하고 차별하여 좋아하고 싫어하는 데서 생긴다고 했습니다. 따라서 모순을 벗어나려면 모든 사물을 동등하게 보아야 하는 태도를 지녀야 한다고 했지요. 이런 태도를 장자는 무엇이라고 불렀을까요?

① 제물　② 구별　③ 차별　④ 호오　⑤ 선악

04 장자가 유가에서 가르치는 인의(仁義)를 바라본 관점을 간략히 설명하세요.

____

____

05 장자는 노자의 무위(無爲: 함이 없음) 사상을 잇는 데 더해, 쓸모없는 것이 참으로 쓸모 있는 것이라며 쓸모없이 살라고 하였습니다. 이러한 장자의 생각을 사자성어로 무엇이라고 할까요?

① 무용대용 ② 인의예지 ③ 무위도식
④ 천명사상 ⑤ 수기치인

06 장자는 지극한 즐거움은 큰 붕새의 소요(逍遙)와 같다고 비유했습니다. 그렇다면 소요란 무엇일까요?

____

____

05 ①

06 산책 : 장자는 삶을 산책하듯 살라고 제안합니다. 결과와 목적에 매인 일에 몰두하는 삶이 아닌 목적이 없는 걷기인 산책처럼 자연스럽게 살라는 것입니다.

07 ③ / 08 ① / 09 ②

10 중인(보통 사람), 염사(깨끗한 선비), 현사(어진 선비), 성인

07 아래는 장자가 공자와 그의 제자 안회를 통해 도에 대해 다룬 이야기입니다. 이야기 속에는 훗날 불교의 선(禪) 사상에 큰 영향을 끼친 '이 사상'이 담겨 있습니다. 이 사상은 무엇일까요?

어느 날 안회가 공자를 찾아와 자신이 인의(　　)를 잊게 되었다고 했다. 이에 공자는 아직 멀었다며 안회를 돌려보냈다. 그러고 나서 얼마 후, 안회가 다시 공자를 찾아 이제는 예악(　　)을 잊었다고 말했다. 하지만 이번에도 공자는 아직 멀었다고 했다. 또다시 얼마 뒤, 안회는 공자에게 이젠 모든 것을 다 잊었다고 말했다. 공자가 그 말에 깜짝 놀라 그건 어떤 경지이냐 물었다. 이에 안회는 손발과 몸, 귀와 눈 등 형체를 떠나고 앎을 버려서 저 지극한 도와 하나가 되는 것이라고 했다.

① 인의 사상　② 망각 사상　③ 좌망 사상
④ 안회 사상　⑤ 공자 사상

08 '책'에 대한 장자의 생각으로 적절한 것을 고르세요.

① 책은 말에 지나지 않으니, 더 귀한 것은 말이고 그보다 더 귀한 것은 뜻이다.
② 책 속에 길이 있다.
③ 성현의 옛말은 인간사의 핵심을 담고 있다.
④ 책은 어지러운 세상을 바로잡는 힘이 있다.
⑤ 언어로 표현된 자연의 이치를 알아야 한다.

정답

01 ④ / 02 ③

03 ① : 제물(齊物)은 물건을 가지런히 한다는 뜻으로, 모든 사물을 평등하게 보아야만 삶을 달관하게 된다는 사상입니다.

04 인의는 인간의 본연적인 성품에서 나온 가치가 아니라 군더더기 같은 것입니다. 유가에서 가르치는 인의는 인위적인 것으로 무위의 차원에서 보면 별로 가치가 없거나 진정한 가치를 오히려 훼손할 뿐입니다.

09 장자는 자신의 창작법에 대해 '내 작품의 열에 아홉은 우언이다. ◯◯은 열에 일곱이요, 기본적으로는 자유자재로 쓰는 치언을 쓴다.'라고 했습니다. 여기서 ◯◯이란 옛 성현의 입을 빌려 말하는 것으로, 사람들은 나이 많은 사람을 존중하기 때문에 필요한 기법이라고 했습니다. 이것은 무엇일까요?

① 고언 ② 중언 ③ 예언 ④ 첨언 ⑤ 부언

10 장자가 나눈 사람의 네 차원은 무엇인가요?